彩妝大師 Kevin

藝人 Makiyo

藝人 丁小芹

藝人 王湘瑩

藝人 王瀅

藝人 何嘉文

知名髮型師 吳依霖（小曼老師）

知名作家兼主持人 吳淡如

藝人 宋新妮

時尚造型師 李佑群

造型達人 李明川

藝人 林立雯

無名小站共同創辦人 林弘全

茉莉雜誌副總編 張雅婷

彩妝天后 游絲棋

藝人 劉真

名模 錢帥君

無名小站創辦人 簡志宇

演藝圈大姐大 藍心湄

（依姓氏筆畫順序排列）

吳玟萱 著

無敵愛美神③ 美人道！

Awakening Beauty the Claudia Way.

美容觀察家 之 生活體驗報告

愛美神從12歲開始當「人肉試驗機」
的美容‧美妝‧保養‧購物‧聖經！

無敵愛美神 ❸ 美人道

Contents

作者序
Claudia's
Preface

❝**我**最常被人家問到的一句話，就是…『哇賽~妳的皮膚超白超好的!!…妳是怎麼保養的啊？……』每天都會被問到好幾次！👺 …10幾年下來，已經被問了不下上萬次吧？😈

當然！擁有"無敵愛美神"封號的我，可不是浪得虛名喔！😇

『寧可錯殺，不可錯放！』就是我的座右銘～💀

每天都在尋找更好用的產品（有人會問為什麼呢？愛美神妳推薦的產品不是都很好用嗎？）

是呀，但是科技日新月異，妳如果不多嘗試新的東西，妳就不曉得新產品可以為妳的皮膚帶來更好的改變！

有沒有覺得新買的保養品，剛開始用覺得很有效，但是用久了又覺得沒有剛開始那麼有效？為什麼？因為…同樣的保養成分用久了，皮膚會產生習慣性及惰性，也就比較沒效果囉！（皮膚偶爾也要有一點新鮮感）

所以，保養品定期更換才能讓皮膚日新月異…（好險，這樣我才有藉口不斷的出美容書…別打我啦～ ）

所以囉，只要是最新科技、最火紅成份的保養品…都不可能逃過我的手掌心滴！～

很多人都以為我的皮膚是天生麗質，不怎麼保養也很OK…

根本不曉得我是從12歲開始就開始擦保養品了！

到今天已經不知道買了多少產品、花了多少心思在家裡塗塗抹抹的！…

才能擁有妳們大家現在看到的好膚質！

（其實我很宅…夜深人靜的時候都在家裡保養!!）

朋友都笑我有強迫症，因為家裡堆滿了5大櫃保養品和美容小物！一整個好像藥妝店！

沒辦法… 我只要一看到有美容新產品，眼睛立刻就會亮起來！手就忍不住給它敗下去啦！

我常說：『愛漂亮＝變美的開始！』

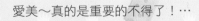

Making you looks pretty is the first step of being beautiful.

愛美～真的是重要的不得了！…

我這麼呼籲大家，可能有些人會覺得～我怎麼那麼膚淺?!

雖然說，外表不代表一切!也不是擁有美麗的外表就有美麗的心和美麗的頭腦！…

尤其是…男人常常會冠冕堂皇的說：『**我不是那麼在意女人的外表啦，最重要的是女人的內在…**』（ 屁啊！…最好是啦~~）

啊！…歹勢！那是我的內心OS，一不小心就說出來了… 但…想這麼多幹嘛?!……人生苦短！

說真的…我覺得女人真的是好辛苦！既要有內涵頭腦，外表也不能隨隨便便、不能不打扮、不能邋遢、不能顯老…

姐妹們…我只想要大家在當 "認真的女人最美麗" 的同時，也寵愛自己一點、好好裝扮保養一下…讓自己每天照鏡子時也開心點！…有什麼不對呢？

"心情好，就腦筋清楚、腦筋清楚，工作效率就提升、效率提升，就會升官、升官，就會發財、發財，就可做善事…"

這樣…就有美麗的心、美麗的頭腦囉！

放心啦！…姐妹們，有我無敵愛美神在，大家都可以變美的！

總之呢～我不藏私也不假裝!!一定會在這裡跟大家分享我所有的美容保養秘訣！就連身邊許多親朋好友經過我的「雞婆指點」後，都變得愈來愈漂亮了呢!!

現在…每次別人見到我，第一句話就是問：「吳玟萱，妳到底是怎麼保養的啊？」（得意！）

所以阿～我就把所有最新、最實用的秘訣都公佈在這本書裡！

My secrets of beautiful appearance.

希望各位小愛美神們也能得到更多好用的美容資訊！

愛美神我，也會繼續以神農氏嚐百草、好人做到底的精神，不計成本 的買新產品來試用！

讓無敵愛美神的粉絲們，不管是**老同學**還是**小女神**…

保養得宜就是**神 神 神**！美眉們！大家一起變愛美神吧!!

❶ 男人們不會因為妳穿著華服而愛妳；卻會因為妳擁有青春的皮膚和身材而愛妳。

❷ 女人們不會因為妳擁有名牌、珠寶而覺得神奇；卻會因為妳擁有年輕20歲的膚質而嘖嘖稱奇！

❸ 女人們不會因為妳擁有名牌、珠寶而討厭妳；卻會因為妳擁有年輕20歲的膚質而嫉妒妳。

我最親愛的寶貝

My Son...

TO MY DEEPEST LOVE BABY

這是我兒子
小時侯的照片，
好～～～可愛!!
好～～～可愛!!

變大隻囉！帥吧！

這是我兒子嬰兒時期的照片，像不
像奶粉廣告裡的BABY MODEL 啊?
好～～～～～可愛喔!!

寶貝，
媽咪好想你唷！

是…我耶!!

後面的是我媽，
好～～～～偉大!!

跟我兒子小時候
像嗎?像嗎?厂厂

我媽常說；因為我小時
侯太可愛了，出去都是
「人見人愛，車見車載」
所以常常要擔心我被人
家偷抱走耶!

寶貝兒子和愛狗的
合照。

我兒子很安靜的坐著看書，不知道是不
是在裝乖呀?

2010年底
上海看兒子。

我跟兒子
的合照。

I Found My Sweet Heart
In Shanghai On Nov. 2010.

Delicious Hairy Crabs Meal.

吃大閘蟹
的蟹宴。

ch.02 無敵愛美神の
青春日誌

小時候的
愛美神！

Nothing Can Beat
Claudia's Youth...

"這都是我小時候的照片，我媽說，因為我長得太可愛了！
很多次都差一點就被人偷抱走！…
（每個媽媽都會覺得自己的小孩超可愛 😆）
我很能理解這種心情，因為我也覺得我的兒子超可愛，
會被別人偷抱走！ㄎㄎ～ 💕

猜猜哪一個是我?!…

最可愛的那個就是了！（別鬧了，這麼多人都很可愛啊 👀）
穿紫色衣服的女娃兒啦！💀 抱著我的是我的親姐姐喔。

14歲。

17歲。

這張是我17歲時候的照片，人家說有王祖賢的FU!!（🌐 別打我，不是我說的喔…）

這張是我18歲的麻豆宣傳照。
為什麼要拿把傘咧?!光看道具就知
道年代的久遠了…

18歲。

這是我在美國唸書時住的地方，
我就站在家門口，隔壁兩條街就是
LA最知名的逛街聖地。

現在的
愛美神！

長大變這樣！

WOW!!挖～
這是我第一次穿著比基尼拍照，小露一下『右半球』
給你們看！（無奈！被出版社的惡勢力脅迫～～）

過生日！（不搞怪就全身癢嗎？😜）

請叫我粉紅教主！

女人，生過孩子也不怕！

只要用對保養方式，

還是可以美到100歲的啦!! 😊

"**登登登登**！～

　　今天，愛美神的化妝包不打**馬賽克**…
要完全打開給妳們看透透了！～ 👀

　　從來沒公開過的、愛美神の神祕化妝包…
就要全都露啦!!～

　　相信很多人一定以為我出門很麻煩，
要帶一堆補妝的東西、或是女性用品…那可是大錯特錯了！
～因為，我~出~門~是~超~懶~帶~東~西~的!! ⏰

　　　　　　　　　所以～只有這一小包！
　　　　　　　　這就是我出門的全部行頭了!!!

　　不管是跟朋友吃飯聚會、還是錄影上通告、
雜誌訪問…通通都是靠這一小包在打理的喔!!…
（抱歉~害妳們以為是多大包嗎? 👹）

　　因為我很懶得提很重的包包！
　　不像我身邊的朋友，化妝包通常都大的不得了
又重得要死！
　　真搞不懂到底是 "化妝包（ a cosmetic bag ）"
還是 "化妝箱（ a cosmetic case ）" 哩？… 💤

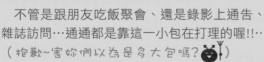

>>每次好奇問她們：『帶那麼多東西…真的都用得到嗎？』
答案通常是：『有８０％都用不到…但是不帶，又很沒有安全感，
萬一要用時…』我暈！~~

然後，裡面東西一拿出來全都是 "原裝的" !!
不是一大罐粉底液、就是一大罐隔離霜！…

挖勒!!!是沒有迷你版喔？
不過就是個補妝嘛！要訓練肌耐力也不是這樣…

像我就從不帶鏡子！Mirrors are never in my bag！
粉餅盒裡不就有了嗎？（而且朋友包包裡幾乎都有一支大鏡子耶，
挖勒！也太大支了吧！ ⬛ …所以跟她們借就好了…）

而且我的化妝包裡化妝品很少，都是保養品…所以應該叫 "保養包"
才對！…

彩妝品頂多是腮紅、口紅…除非有工作，
才會多帶個粉餅。

我的粉餅有二、三十個（因為愛買 👀），
卻從來沒有一個是用完的，
每一個都新到幾乎沒有凹痕…為什麼？

① 因為當妳皮膚保養的好時，自然而然妳的化妝品就用的少。
② 我盡量讓臉上的粉少一點，才不會造成皮膚的負擔。
③ 就算每一次補妝也都輕輕的帶過，不會用ㄍㄨㄣ的，這樣才
　 會讓妳的粉底自然不厚重。（曾看過一位女藝人，明明臉上的
　 妝完好如初，卻一直不停用力的補粉。這是補妝強迫症嗎？別再補
　 了吧！妳的妝已經快要裂開來了。）
　 讓皮膚透出自然的光澤看起來比較年輕，現在已經不流行厚
　 厚乾乾的粉囉。

我也會帶一堆保健食品和常備藥，因為常常忘記吃保健食品，所
以放在化妝包裡，督促自己，順便幫助身邊的人（常常聽到身邊
的人喊："有沒有人帶胃藥？" "我有！"、"有沒有人帶…
ＸＸ？" "有！有！…我都有 😇 …!!!"）

愛美神的...
化裝包都裝些什麼？
What's stuff in Claudia's cosmetic bag?

秘密

它有分2種喔！一種條狀的，沒有防曬係數；另一種是口紅管狀的，才有防曬係數～

1

ARDEN雅頓　　NT$700元

8小時潤澤護唇膏

我不能沒有它！我每天擦護唇膏的次數，手指都不夠數！這支很薄透又有潤澤感，可以當唇膏打底，還有SPF15的防曬係數喔！

2

4

酷鼻涼　　　　NT$59元

薄荷清涼棒

泰國旅行必買土產!台灣也有賣了，像是屈臣氏、康是美、7-11、藥房等。～超好用的清涼醒腦醒鼻良方！

泰國人手一支，會上癮！

BURT'S BEES 8.5g / NT$109元

神奇紫草膏

化妝包必備… "有人蚊子叮到"… 有！"撞到黑青"… 有！，是外出旅行、居家良藥ㄚ!!!

3

冰藍　　　NT$大約200多元

高水份隱形眼鏡潤濕液

眼藥水是戴隱形眼鏡者必備，假哭也可以用…

23

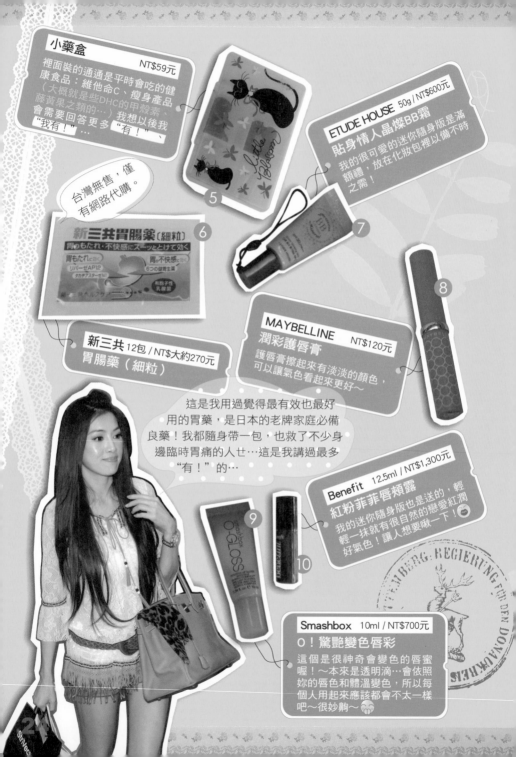

小藥盒 NT$59元

裡面裝的通通是平時會吃的健康食品：維他命C、瘦身產品DHC的甲殼素（大概就是些藤黃果之類的…）我想以後我會需要回答更多 "有！"、"我有！" …

台灣無售，僅有網路代購。

5

新三共胃腸藥〔細粒〕
胃のもたれ・不快感にスーッととけて効く

新三共 6

ETUDE HOUSE 50g / NT$600元
貼身情人晶燦BB霜
我的很可愛的迷你隨身版是滿額禮，放在化妝包裡以備不時之需！

7

8

新三共 12包 / NT$大約270元
胃腸藥（細粒）

MAYBELLINE NT$120元
潤彩護唇膏
護唇膏擦起來有淡淡的顏色，可以讓氣色看起來更好～

這是我用過覺得最有效也最好用的胃藥，是日本的老牌家庭必備良藥！我都隨身帶一包，也救了不少身邊臨時胃痛的人世…這是我講過最多 "有！" 的…

Benefit 12.5ml / NT$1,300元
紅粉菲菲唇頰露
我的迷你隨身版也是送的，輕輕一抹就有很自然的戀愛紅潤好氣色！讓人想要啾一下！

9

10

Smashbox 10ml / NT$700元
O！驚艷變色唇彩
這個是很神奇會變色的唇蜜喔！～本來是透明滴…會依照妳的唇色和體溫變色，所以每個人用起來應該都會不太一樣吧～很妙齁～

12

SWEET BREATH 2瓶 / NT$199元
口腔芳香滴劑 (薄荷口味)

O.P.I 7.5ml / NT$750元
攜帶型指甲精華筆
指甲邊緣乾乾的或有脫皮勺
話…可用這個指甲油！特別的
筆刷設計，用起來超方便的、
味道也很香！～

11

13

我用了最久
的品牌！

瑰珀翠 50g / NT$420元、100g / NT$750元
果酸護手乳

14

自製口紅盤
我把常用的唇膏刮在口紅盤
上，這樣就不用帶一堆口紅出
門，減少麻煩又可減輕重量，
也方便調色…

以上這些，就是我平時化
妝包裡的行頭啦!!!好像也沒
什麼神秘感厚？

寧願多卸幾次妝，
也不要多洗幾次臉！
別把皮膚"洗乾"了

ch.04 保養第1課：卸妝

保養，先從學會卸妝開始…

Lesson 1 of Skin Care：

Remove
Your Makeup

「皮膚就像是女人一輩子脫不掉、也不能換的衣服一樣！」
沒辦法…所以請好好照顧妳最寶貴的「皮衣」囉！
尤其是過了25歲之後，「維持」真的很重
要！

　　常看身邊同年齡的朋友才一、二年不見…
哇賽！～好像老了10歲！（驚驚）

　　但我看起來卻是…（ㄟ～實在很不好意
思自己說）愈來愈年輕啦！

　　為什麼呢？因為姊姊有練過…（笑）
不是啦！～是花很多心思在保養好不好！

　　不過說實話…
能「維持」不要變老就已經很偷笑ㄌ！（阿彌陀佛！）

　　寶貝們，妳們知道「老化的速度是以倍數在成長」的嗎?!

每次碎碎唸那些懶惰的朋友要好好保養。

　　卻非得等到都出現老化徵兆才肯正視這個問題，我也沒辦法…
看她們卸妝就跟擦屁股一樣草率和粗魯就很受不了，
連最基本的卸妝都做得「二二六六」，
更別提其他什麼抗老、美白保養ㄌ！
她們卻總說：眼線卸不乾淨有什麼關係？…反正明天還不是要畫！

　　那…上完大號是不是也不用擦？（反正沒過多久又要上了ㄚ～）
哈哈哈～開玩笑的啦！

>>保養就要從『卸妝』做起…這種話還沒聽膩是吧？
很多人覺得卸妝是小case嘛！～誰不會啊？
但…不是我在講～還真的是有很多人不會耶！

今天…就讓無敵愛美神我來教大家 保養的第1課 吧！

到底如何把妳臉上的五顏六色卸乾淨？

同學們請看仔細囉！

1

眼妝

眼唇卸妝液

Tips

★把沾了卸妝液的化妝棉，濕敷在眼皮上幾秒（視眼妝濃淡而定），順著睫毛輕輕往下推，假睫毛一起順便卸下。

★換一片新的化妝棉，左右輕搓睫毛根部卸掉眼線，切忌以畫圈圈方式卸妝，也不要重複用已經髒了的化妝棉乙！

★卸完最髒的眼線和假睫毛，再換一片化妝棉卸乾淨為止！每眼各用2～3片化妝棉，最後用面紙擦掉剩餘的卸妝液和髒汙。

The Fatal Attack

必殺技

如果眼瞼還有亮
片或睫毛膏，就
用棉花棒沾卸妝
液把它消滅！

眼妝一定要卸乾
淨，不然色素沉
澱會讓黑眼圈愈
來愈重，還會有
皺紋！

碎碎念

L'OREAL萊雅 125ml / NT$299元
溫和眼唇卸妝液
LANCOME蘭蔻 125ml / NT$920元
快速眼唇卸妝液

姐妹品牌，
卸妝力差不
多但價差一
半，適合戴
隱形眼鏡還
有眼妝濃的
女生，因為
是消耗品，我都趁週年慶或折
扣時多買一點，比較省錢！

長年愛用

keep blabber on

2
淡妝/不化妝
卸妝水

Tips

★把兩片化妝棉，用卸妝水沾
濕以後，一次用兩手擦拭全
臉，接著用面紙擦掉剩餘的卸
妝液和髒汙；再重複一次上面
的動作。

Favorite Things

LANCOME蘭蔻 400ml / NT$1,650元
全能速效潔顏水
CLARINS克蘭詩 200ml / NT$900元
水蜜桃潔顏水

現在愛用

Love To Use Now

BIODERMA貝德瑪
500ml / NT$1,200元
H2O卸妝水

醫美品牌最紅的卸妝水,非常的溫和,
連敏感肌膚都適用,而且超大罐。

3
濃妝
卸妝紙巾

Very Essential Products for Claudia

Tips ★每一面只用一次,
不重複擦拭,但一定
會用到完全沒有留白
才換一面。

Favorite Things

長年愛用

M.A.C 每包45張 / NT$600元
清爽潔膚膜

能把彩妝卸乾淨又不會澀澀的,
我週年慶一定會買上好幾手!
(不是買啤酒啦!…厂厂)

4

全臉再卸一次

卸妝油

Tips ★雖然有手濕濕也能用的卸妝油，但我還是盡量在手、臉乾燥的時候用，可以稍微按摩但不能太久，免得髒汙滲入毛孔。

PS：這一罐的使用方法非常特別，購買前一定要請專櫃小姐教授妳使用程序。

長年愛用

現在愛用

FANCL芳珂 120ml / NT$820元

淨化卸妝油

無添加，一罐只能放3個月，我都趁週年慶/年中慶/母親節分批補貨，免得過期！

它是多種精油結合的洗臉、卸妝霜，洗完過後肌膚滑嫩，有如剛做完臉還帶著精油的香氛，完完全全不緊繃，現在已經成為我的最愛。好險現在台灣已經買得到了。

Eve Lom 200ml / NT$4,500元

全能深層潔淨霜

這一罐卸妝霜在國外已經紅了非常多年，也非常多巨星們都愛用，幾年前也是一位香港明星介紹給我用的。

特別推薦 **超好用的化妝棉**

大三 80枚入X2 / NT$398元 5層輕薄型化妝棉

每次去日本一定要大肆搜括，台灣的SOGO超市也有在賣。
每一枚可撕成5片，我都用這個卸妝或濕敷…
雖然比較貴，但1片抵5片還算值得啦！（一盒80枚=400片）

另外還有濕敷專用的大片化妝棉，和一片四層的化妝棉，重點是它的棉質很細而且沒有棉絮，真的超好用！👍

別把水潤
給洗走了！

ch.05 保養第2課：洗臉

Lesson 2 of Skin Care：
Wash Your Face.

Don't wash your
moisture away.

講到洗臉，忍不住要大嘆一口氣～～ㄞ、～～～ 😳
不是煩惱沒產品推薦給小愛美神們！（怎麼可能嘛…）
是想到身邊的朋友們一整個錯─錯─錯─！錯到不行的洗臉觀念！💤
害我就很想碎碎唸…
我發覺…有些人好像1分鐘是值幾十萬上下的樣子，洗面乳擠到手上，
都不捨得花時間充分搓成泡泡就往臉上抹，隨便抹個2下就沖水！…

是怎樣？這種馬虎的洗臉方式，是想把臉上髒東西留到明天繼續用
嗎?! 🐷

要不然就是有洗臉強迫症!!…總覺得臉都洗不乾淨，洗一次不夠，還
要一直搓、一直洗！(哇哩咧！…妳的臉是地板ㄛ?!…😠)

如果妳的洗臉方式不小心被我說中了，那真的要小心!～這樣子超傷皮
膚的!!

沒有充分把洗面乳搓成細緻的泡泡，就沒辦法帶走毛孔內的髒東西，
會擋住後續保養品的吸收，讓妳就算擦再多、再貴的東西也是浪費！

但洗臉洗過頭，皮膚也會受傷，擦什麼都覺得刺激，甚至會過敏，害
一張臉紅通通的 😳，還要花錢看皮膚科…

所以ㄚ～想要做好保養，先好好洗臉是很重要的ㄛ！

愛美神碎碎念 Keep Blabber On

Ⓐ 雖然很多卸妝油都強調是「洗卸合一」，
但還是要用洗顏產品再次清潔比較好。

Ⓑ 洗面乳在手心加水起泡泡後再洗，才會
有良好的清潔力。

Ⓒ 洗的時候輕輕按摩全臉約1分鐘左右，再用溫水洗
掉，相信這樣就可以很乾淨又不傷肌膚喔!

Ⓓ 如果徒手洗臉很沒有安全感，可以搭配潔膚海
綿，增加泡泡和摩擦力就免驚啦！😊

愛美神最愛
產品名單

Very Essential Products for Claudia.

長年愛用

SHU UEMURA
泡沫潔顏露

150ml / NT$750
450ml / NT$1,900

現在改款了，變成泡沫慕斯狀，更方便，直接按壓出來就是綿密的泡沫，感覺泡沫在臉上很舒服，卻不刺激。

單價合理、味道舒服、泡泡多，清潔度夠，但用量記得不要太多，免得緊繃。

SK-II
柔膚潔面乳

120g / NT$1,100

愛美神
新歡

EVE LOM

這一罐我用了三瓶，雖然單價高，但用量很省，只要一滴就能生出很多柔細泡沫，一瓶抵別人兩瓶。我一罐用了快一年才用完。（這樣算起來應該不貴吧！）

LA MER
潔膚凝膠

200ml / NT$2,500

Natural Jelly
Cleansing Puff

Eve Lom
晨間煥彩潔顏乳

125ml / NT$2,050

ETUDE HOUSE
棉花糖潔膚海綿凍

150元 / 個

天然蒟蒻做的潔膚海棉，超細超軟，天天用也不傷皮膚，但動作要輕柔一點乙～

它的訴求是早上起床後其實不需要太多過度的清潔，所以這一款是針對起床後的洗臉。洗完之後，不會帶走太多臉上的油份，而且保留水份，是最溫和的洗臉乳。

我看過最厲害的！

在朋友家的洗臉檯上，看到這一大盆切成條狀的水晶肥皂…真是嚇到我了！
原來朋友都是拿這些水晶肥皂來洗臉耶！…我驚訝得趕緊拍照存證！

頭髮放風箏

ch.06
Cheap and EnjoyAble
A-list Hair Care!
便宜又享受的
貴婦級護髮！

"**很**多和我一樣擁有一頭亮麗長髮的姊妹們…
想到要如何寶貝自己的頭髮、該怎麼護髮…一定都很頭痛吧?!
放心有我在！

　今天就要跟大家分享我的便宜又有效率
的護髮方式—
個人我就是…**去給別人洗啦！**…

　蛤？～這不是有講等於沒講?!
（　怒!!）…別打我！～ > <

　這是真的！
因為…我每次自己洗頭都要搞個2小時
以上！（長頭髮的缺點　）
不但浪費水、浪費瓦斯、又浪費時間、還會把
浴室弄得很髒、以及滿地的掉髮！…（氣！～）

剛洗完頭的
我，是鬼娃
娃花子！

一層一層均勻的
塗抹護髮產品。

　最重要的是…也
把自己搞的累個半死！
（更氣！）
所以我都去洗150元的頭
（我已經洗髮洗到是ＸＸ髮廊
的ＶＩＰ了…　），加上自備護髮品，
只需再付200元的人工費，總共350元！…

　就可以，又洗頭、又護髮、又有人幫妳SeDo、還會幫妳把護髮素塗抹
的很均勻、又有專業機器蒸頭髮，使護髮素更能吸收…還有人幫妳按摩
很久很久！…哇哈哈…好享受！
天底下還有比這個更享受又便宜的好事嗎?????

>>如果妳是一分鐘賺幾十萬上下、趕著要去工作的人～
那妳可以自備平價的護髮素，我都是用
施華蔻Schwarzkopf Q10
頂級青春凝時髮膜 > > > > > >

750ml /
NT$980

超～超～超大一罐！
一般的美容材料行才賣850元！…
容量很大，價格又很平民，用多也比較不心疼！

　　請洗頭美眉幫妳洗完頭後，均勻擦上後用梳子梳順，
再用2條以上的熱毛巾包個5分鐘，（記住！一定要2條以上喔！這樣
　　溫度才不會降太快～～）　包妳頭髮亮麗滑順，還有時間可以瞇
　　一下！

　　　想要"工夫"一點的～我就會拿出我的法寶…
　　也是我用過最厲害的護髮素！

　　　卡詩Kerastase活葡滋養髮膜 > > >
　　　　以及絲光柔馴髮膜。

200ml /
NT$1,800

38

>>我更厲害,雙管齊下,一次用兩罐!
白的拿來抹髮根,橘的針對受損髮質,我拿來抹髮尾(因為通常髮尾
較乾~)!再用專業的機器罩住蒸頭髮,讓護髮素更能吸收…

但是它們的價錢真的比較不平民化(也不太大罐啦!),但是…它
們也真的很好用ㄟ~

連我問洗頭美眉她們都用什麼
護髮品,大家也都愛用這個
牌子的…(哇塞!連她們都
捨得砸重金來護髮)

齁~果然識貨!…

我那些貴婦朋友常去所謂
的高級髮廊,護髮一次就要
3,000元勒!(齁~我都不
知可以護幾次了ㄝ~)

護髮專用蒸汽機(讓分
子變得細小,比蒸汽還
小喔!使護髮素更容易
被頭髮吸收)。

還有一款開架產品,
我也是覺得不錯用乙!
潘婷Clinicare時光修護系列,
<<<胺基酸補充菁華組

5劑1組 /
NT$169

另外卡詩 絲光柔馴露 >>>
只要一滴滴…

125ml /
NT$1,300

(所以可以用超久喔~特強調!),
擦在頭髮上,不用再沖掉,不會油,
連手都變滋潤勒~

愛美,頭髮也別忽略耶!~
別讓男朋友浪漫地用手穿過妳柔順髮絲時,
手被卡住了!
—哇!糗大了…

大家要乖乖寶貝一下自
己的秀髮喔!!!

基礎保養好
「肌」礎！

ch.07
超重要的
基本保養術！
The Most Important Thing:
Basic Skin Care!

"**可**愛的網友們常常會問我…：「可不可以多介紹一些**平價的保養品**？」

當然可以！只是…

為什麼美眉們有閒錢可以拿1、2萬元去買名牌包或換新手機，
卻捨不得投資在要跟妳一輩子的皮膚上了？

以我**12歲**就開始保養的經驗來說…（從小
就把愛美神當志向ㄚ我！~）
我用過各類型的產品…從貴婦級的、到平價
開放式的都有！…
所以知道…當然不是 "貴一定就好"！有很
多平價的就很好用了！…

但有些東西，確實是一分錢一分貨，可能
是貴在它最新的成分、及成分的多寡…和最
新的研發科技…所以有它貴的道理！

Good Skin Base !
Socialites Introductions !

它雖然價錢高檔，但用了之後效果卻很
好，有比較快、以及比較明顯的改善…因
為女人的時間寶貴，不能等!!

所以，美眉們應該要有一個觀念：
對待一輩子都要跟著妳的皮膚，一定要捨
得投資！…偶爾也要讓它吸收一下等級高
一點的保養品！不要太捨不得了！

就像我常說的…「皮衣」只有那麼一
件，隨便用壞了，可是沒得換的喔！…

美眉們，所以值不值得還是要看產品
耶！…

當然，高價不一定都是好貨，平價不
一定沒有好貨！…
但如果真是對皮膚很好的商品，還是敗
下去吧…

>>要知道…皮膚的老化速度可是以倍數在成長的！…我們是要跟時間賽跑！

而且一旦受損了，要修護可是非常非常非常不容易的！…這句話我已經説了N次！…唸到累囉…

所以…什麼是便宜又好用的平價貨、什麼又是值得敗下去的高價品呢？…這當然就是我愛美神的功用啦！

我一定會更努力鑽研、更努力的買、更努力的試用…把最好用的產品介紹給大家！（這也表示我要花更多的錢啦！）

好啦！趕快來看看我推薦和愛用的保養品囉！愛美神我的保養，主要是分成基礎保養和進階保養。基礎保養的重點是在「維持」肌膚原本狀態，也就是能維持現狀、不要惡化就好！

讓妳每一年都可以得意地説：妳可以再靠近一點！沒關係！

進階保養則是拒絕變老、幫肌膚再加分！通常我平日會再加強美白、修護；冬天則是增加抗皺、緊緻。

建議女人過了25歲以後，就要加點進階保養的功課囉！

常見有些美眉不先把皮膚保養好，反而猛花大錢買彩妝品，努力蓋斑或遮毛孔…其實，如果把皮膚的基礎打好，不是可以省下更多彩妝品的錢，就連素顏也會很漂亮嗎？…

還可以很驕傲的説：我~沒~有~化~妝~て！所以丫~寶貝們~乖！~趕快開始保養妳的肌膚吧！~

愛美神最愛產品名單
Very Essential Products for Claudia

化妝水

韓國雪花秀系列
潤燥精華

60ml / HK$700

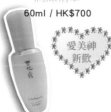

愛美神新歡

這系列的跟一般保養程序不太一樣！是先用潤燥精華液，才用化妝水、乳液，最後再用另一種精華液。精華液的質地較濃稠，但吸收度好，保溼度也很優喔！

肌膚之鑰
保濕露F、T

150ml / NT$2,950

長年愛用

化妝水掌門人

很多貴婦愛用的品牌，是我化妝水名單中保濕度第一名的！我通常都是冬天使用、或是皮膚極乾的時候…這一罐我大概用10年了吧！真的超好！讚！

SK-II
青春露

150 ml / NT$3,600
250 ml / NT$4,250

這一罐我也是用了10幾年了的第二掌門人！SK-II的暢銷天后，高pitera成分可以提高皮膚的新陳代謝、維持皮膚的健康更新，整個夏天我都在用！

美白類化妝水

敏感肌化妝水

ALBION
健康化妝水

330ml / NT$2,900

這可說是薏仁化妝水，是他們的王牌產品，又超大罐的，拿來濕敷也不心疼，曬後急救很好用。

佳麗寶
深層美白化妝水
（柔潤型）

180ml / NT$1,380

它的成分內含中藥成份火棘，是我覺得美白類化妝水保濕度最高的。

Darphin
全效舒緩化妝水

200ml / NT$1,700

對抗敏感最厲害！

只要我出現過敏或紅腫，就用這個對付它，特別推薦給皮膚容易敏感的人使用，尤其是敏感肌膚，曬後一定需要它。

雅詩蘭黛
超智慧DNA特潤修護露

30ml / NT$2,200
50ml / NT$3,200

品牌的代表作

這款產品應該有20年的歷史了吧！我從小就看我媽在用，現在已經改新款囉！～添加新成分DNA，是該品牌經典長賣產品！

黛珂
保濕美容液

40ml / NT$2,500
60ml / NT$3,550

保濕超長效，敏感肌也適用，身邊很多OL都在用這罐，而且評價都不錯，價錢也剛好。

LA MER海洋拉娜
緊緻精華液

30ml / NT$9,000

貴婦愛用

我的貴婦朋友幾乎人手一罐，這個品牌一向都強調修護性，當然它的精華液的修護性是更高的，也更強調保濕緊緻，所以長期使用下來加強我皮膚的自癒改善能力，我都在週年慶去買加大瓶比較省。

后
重生秘帖　45ml / NT$5,980

這罐在韓國賣的超好的（韓國人果然很愛用國貨），在台灣銷量也成績不斐，雖然它的價錢比一般同級的專櫃品牌貴了一點點，但是它比較大罐啦，是45ml的，所以換算下來應該也還好啦。一樣是東方成分、內含許多珍貴藥材，質地細緻，除了保濕之外，還加強皮膚的彈性。

Dr. Wu
玻尿酸保濕精華液

15ml / NT$800
35ml / NT$1,600

別說我都沒介紹開架品牌喔～這個當紅保濕精華，是它們的招牌貨之一，每年週年慶都有賣超大罐容量1,000ml，便宜又好用。哈哈～可以用得很浪費、盡量擦！

BIOPEUTIC葆療美
玻尿酸瞬效保濕純露

30ml / NT$1,280

保濕王

這罐是高濃度80%玻尿酸精純原液（是原液喔！），裡面還有藍銅肽，我非常喜歡用這罐，只要用2到3滴就很保濕，我在皮膚缺水時，會用更多的量來按摩，所以這罐我用的得超兇的。

杜克C
保濕B5凝膠

15ml / NT$2,000

它是玻尿酸加上維他命B5，所以在保濕的同時也可以讓皮膚吸收維他命B5，一樣是很保濕，但是它的質地比較濃稠一點。

乳液

醫美品牌

乳液

肌膚之鑰

夜間修護乳F、T、S

75ml / NT$3,550

日間防禦乳F、T、S

48ml / NT$2,950

質地細緻，用量不用太多就可以有很好的保濕效果！

妮傲絲翠

乳糖酸乳液

100ml / NT$1,800

它是一種果酸乳液，濃度是15PHA，可以促進皮膚更新，提升皮膚的再生力，又蠻保溼的，邊擦乳液就可以溫和地代謝老廢角質，多省力。

Dr. Wu

海洋膠原保濕乳

50ml / NT$800

開架式藥妝產品中，便宜又好用的保濕乳液。

雪花秀

滋陰乳液

125ml / HK$500

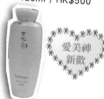

愛美神
新歡

我會知道這個品牌，是因為看到日本雜誌有很多Model及女星推薦，像日本女星梨花說愛用8年，我還特地跑去香港買。（香港機場及九龍都有得買。）真的還蠻不錯用的，也很保溼。

眼部
保養

I Am The Biggest
Fan of This Brand.

眼部保養品是我最捨得砸大錢的！因為這裡的細紋一旦出來就消不掉了！而且也是看起來年不年輕的關鍵！

La Prairie

魚子美顏眼露

15ml / NT$4,400

不要以為它是貴婦牌的就要5,000元起跳，這瓶5,000元內有找啦！這瓶我用了好多年，是超好用的眼部專用精華液（很少看到眼部專用的精華液吧！）我都先擦這個打底才搽眼霜！（我算過……平均一年要用掉6瓶喔！）

眼部保養

LA MER

亮眼活膚精華霜 15ml / NT$6,300

我差不多用掉7罐了！它的質地很細緻但是又不會太濃稠，搽再多也不用擔心長肉芽！我超愛用那個棒子按摩眼周的，每天早晚都用棒子做逆時針的按摩，可以加強吸收、增進循環、減少黑眼圈喔！所以我很驕傲，我的眼睛不但沒有皺紋，也沒有黑眼圈喔，推薦大家非常值得一試。

La Colline

眼膠&眼霜（左邊是眼膠，右邊是眼霜）

15ml / NT$4,500

香港貴婦介紹我用的，這個牌子其實在保養品圈也很出名！尤其針對眼部的產品，非常有口碑，台灣莎莎有在賣！質地很好吸收不油膩，效果不錯，而且價錢也不是太貴，平均3~4千元！

雪花秀

閃理眼霜

25ml / HK$930

它的眼霜我買了兩罐來用，因為它的質地延展性很高，我都拿它們家的臉霜來當眼部按摩霜，價錢也漂亮。

ARDEN雅頓

艾地苯亮眼抗皺精華

15ml / NT$4,100

眼睛也是需要抗氧化的，比Q10還要再強好幾倍的艾地苯，是抗氧化天后！讓眼睛抗氧兼抗皺，擦起來像精華液一般的柔滑，甚至有朋友冬天拿來當局部抗皺精華液呢！（她的局部未免也太小了吧？…）

Counter Cosmetic Brand

醫美品牌

眼部保養

BIOPEUTIC葆療美

多肽舒醒眼霜

8ml / NT$1,080元

它的成分是專門對付皺紋的勝肽，號稱是懶人上班族專用！因為很小一條，很適合放在化妝包裡隨身攜帶。

Dr. Wu

多胜肽抗皺眼霜

12ml / NT$1,300

別再罵我都介紹貴的啦～也是有經濟款的，搽起來感覺也不輸人喔！

乳霜

SK-II
焕能全效活膚霜

80g / NT$3,800

這罐以前就覺得不錯用～而且價錢也很合理。第一次用第四代是上節目時老師試用在我臉上，再用機器測試…果然保濕力及彈力都有增加也！

雅詩蘭黛
水奇蹟修護保濕凝霜

50ml / NT$2,000

這是他們的新產品，這款我非常推薦怕悶怕油的人使用，因為它是凝霜狀的，擦起來很水，保濕度蠻長的，很推薦夏天或年輕肌膚使用。

LA MER
限量經典版乳霜

250ml / NT$27,500
500ml / NT$53,000

經典乳霜的傳奇相信大家都有聽過！我自己已經用掉了兩罐500ml的！因為我屬於乾性肌膚，冬天用超適合～不但鎖水效果很棒，還可敷臉或當作按摩霜，擦完臉之後還可以把剩餘的拿來擦手，只要使用方法正確，就不會覺得它很油。可以跟人家一起share大罐的（500ml）這樣比較划算！

雪花秀
彈力緊然面霜　75ml / HK$600

這一罐也是日本明星梨花愛用之一，它們家的東西都是漢方草本的，擦起來皮膚整個很有彈性，滋潤保濕度都兼具。

特殊護理

雖然是基礎保養但是也不能太陽春，總要加點厲害的，彌補或加強平時的保養…急救可用，臨時抱佛腳也可用。

Darphin
百妍極緻芳香精露

15ml / NT$6,500

幫臉部按摩是一個很重要的保養程序。我三不五時都會用這個精露來按摩、排毒、排水，和加強臉部的血液循環，這個好習慣已經維持了8年。就像做臉時，美容師也會用精油幫妳臉部做按摩，只不過我用的這瓶更厲害，結合了八種精油，所以效果當然加乘啦！夏天的時候，我就會選擇橙花精油，比較清爽一點，有很多不同的精油可供選擇。

Darphin
芳香柔潤調理膏

15ml / NT$2,600

用不慣油的人也可以用這個調理膏來做以上的按摩程序，而且這調理膏還多了急救的功能，在熬夜過後通常臉色會暗沉無光、有黑眼圈，我一定會拿它這罐出來按摩一下讓皮膚甦醒、神清氣爽，完全看不出來有熬夜。以上是我每逢百貨週年慶必定瘋狂補貨、不買會睡不著覺的保養必需品啦！想知道愛美神如何幫肌膚再加分的進階保養術，就繼續看下去囉！

47

ch.08
進階保養：
抗老★抗皺★緊實★拉提...

進階保養
肌肌叫叫叫！

"比較進階的保養，主要是在抗老。

很多人都會以年紀來劃分，以為年紀大一點才會需要抗老、緊實、拉提…等等。

但是，早點保養就可以早點預防、或是減少這些問題的形成啊！
20幾歲就會有斑點和細紋跑出來了耶！…
所以不提早預防怎麼可以呢?!…👀

對我來說，進階保養應該是以肌膚的狀態來劃分，而不是年齡！…

容易有斑、肌膚暗沉的人，就加強美白產品！
而想要增加彈力、緊緻的人，就用抗老產品！
頂多，再依照產品的價錢高低來選擇…

像我平時除了基礎保養品外，還會多加一罐美白的，而冬天則是會增加抗老的（因為大多數抗老產品都比較滋潤，冬天用比較不怕太油膩），不然每天都要擦太多瓶瓶罐罐了！😁

而且，先做好美白、防曬、抗皺…抗老就可以少花點錢了！畢竟紫外線是老化的關鍵ㄚ！

不過…為什麼要加個 "老" 字？怎麼不叫做 "不老產品" 比較好聽咧?！🌀（…又在耍冷了…）

姐妹們，也不要一聽到「抗老」就蛤！～那麼大聲…

Early Prevent,
Less Wrinkles, Much Tighter !

千萬別仗著自己年輕，就以為抗老是媽媽們在做的保養！
📖 等到皺紋出現、臉鬆垮以後就來不及啦！

49

不說妳們不知道，愛美神的抗老保養，已經從塗抹保養品進入到搭配光療的境界了！（這麼未雨綢繆，可見得抗老有多重要！）

>>因為白皙和細紋都好維持，但緊實度是很難維持的。

所以我會買抗老保養品來全面維持彈力、緊緻，促進細胞的更新，偶爾再搭配光療來做輔助，臉才不會白晰、ㄅㄨㄞ ㄅㄨㄞ但卻下垂！（有些人皮膚狀況都很好，但就是少了緊緻度。）

『早點抗、少點皺、多點緊！』姊妹們可千萬不要大意啊！😊

先存點本放著⋯不然青春可是會很快燒光光的！（看我從小開始塗塗抹抹，就知道已經努力存了多少本！😜）

愛美神我是「刀子嘴、豆腐心」啦～😆大家要聽話喔！

推薦一下我愛用的抗老產品～😁

因為這些是進階保養，所以當然價錢都會提高囉！大家不要罵我都介紹貴的，因為還有更貴的我沒介紹哩！

（自言自語中：『對呀！還有很多一罐兩萬多塊錢的，我都沒介紹耶⋯⋯』）

愛美神最愛產品名單
Very Essential Products for Claudia

抗皺化妝水

資生堂
莉薇特麗除皺精露AA

125ml / NT$2,500

這是資生堂的除皺系列，它比較不像是一般的化妝水，裡面有一顆顆高濃度的維他命A小小膠囊。我通常都冬天用，喜歡這一罐擦上去的立即滋潤感，連我媽媽也一起用耶！（千萬不要聽到可以跟媽媽一起用就嚇到，以為這是資深熟女才可以用的保養品！）

滋潤度最高的化妝水

進階精華液

雅詩蘭黛
瞬間無痕智慧多元抗皺精華

30ml / NT$2,500，50ml / NT$3,400

這也是他們經典明星商品，屬於比較乳狀的精華液，擦起來有緊緊的感覺。YES！我喜歡這種感覺。在擦它的時候有一個特別的擦法：用類似撫平的方式擦一次就好喔！不要按摩！

Odile Lecoin
絲蛋白除皺精華

50ml / NT$5,600

新發現

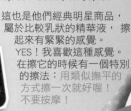

雖然這品牌剛進來台灣沒多久，但是光打著「法國第一夫人卡拉布魯尼的最愛」、主要成分是絲蛋白及胺基酸絲蛋白、還有海洋彈力蛋白…等、以及實驗證明長期使用可以減少皺紋40%…這麼多優點！我說什麼也要試試看囉！它的使用方法也是要滴在手心中，溫熱之後再慢慢推勻按摩，真的覺得有緊緻感卻又加了保濕及滋潤感。專櫃姐姐還說，如果夏天就可以只擦這一罐，也不用擔心會太乾。

LA MER
極緻濃縮再生精華

50ml / NT$13,500

因為是濃縮，所以它比較貴一點。是我貴婦朋友的最愛，所以介紹給我用。（當初我還嫌貴有點捨不得買，但一用成主顧！）因為是濃縮，所以修復性特好！它質地比較特別，不是一般液狀而是稠稠的精華液。針對皮膚比較脆弱時，例如在打完光療後使用最適合！因為很貴，所以我都省著用…都是留著膚況很差時急救用!!

貴婦介紹

法兒蔓
肌密再生活膚液

30ml / NT$7,500

這個品牌的保養品一直是以活細胞保養著稱，所以這就是為什麼價錢會這麼貴囉！這支是他們的升級版，裡面含有高濃縮的精華液、昂貴的DNA及青春肌密複合物，擦起來好像幫皮膚打了營養針。

特別介紹
Special Introductions

局部加強
精華液

LA MER
極致緊膚精華液
15ml / NT$5,700

這一罐是比較特別的產品，它是在使用精華液之後，不需要整臉擦，只需要用一點點，針對細紋或其他需要收緊的部位加強即可。

眼部抗皺
精華液

PS：記得喔！所有的眼部精華液使用完，都還是要擦眼霜喔！

La Colline
眼部精華液
15ml / NT$4,950

YA！又多一瓶眼部精華液可以使用！這一罐跟我之前介紹的另外一罐精華液不一樣，它稍具一點點的滋潤感，保濕滋潤兼具，連夏天用都不用擔心會長芽。我都晚上使用比較多，除非冬天很冷很乾燥時，我會兩罐眼部精華液一起使用完，再擦眼霜。

莎莎櫃姐姐們
大力推薦說讚！
Makeup Counter Sellers Highly Recommended This Product.

眼部抗老
眼霜

La Prairie
魚子美眼霜
20ml / NT$11,100

我用過價錢最貴的眼霜！

光聽這個名字就感覺是眼周細紋的救世主！（貴是值得的！）
它的魚子眼霜質地豐盈，只需要用一點點（因為太貴，我捨不得），只要眼睛出現一點狀況，我一定搬出我的救世主來搞定它！

SUISSE PROGRAMME
億能量眼膜
10片 / NT$6,800

當初購買時聽到價錢$6800有點嚇一跳！心想：哇哩咧好貴喔！因為眼膜才一小片而已，不像面膜有一大張…
可是～誰教眼睛的皺紋是最恐怖的哩！
不過它每一片眼膜都是膠原蛋白，膠原蛋白面膜本身就很貴，有些品牌膠原蛋白的面膜一片就要$1,500耶！所以當然還是得要買啦。
它一盒是三件式，裡面有一整罐60ml的眼部導入液，加上15ml的眼部膠原蛋白精華液，再加上10對的膠原蛋白眼膜，所以這樣分擔起來就不算貴啦，一盒三個月用完等於是眼部的密集護理，我敷完之後，眼周水膨膨（…就是把皮膚撐起來，紋理更平順啦！）明亮度也有加強，整個眼睛很舒服、減壓了不少，我還會再去買。

52

再利用~敷眼皮！

Advanced Skin Care
Make Your Skin Perfect.

乳霜

LA MER
限量經典版乳霜

250ml / NT$27,500，500ml / NT$53,000

這個我在『基本保養術』
那一篇就有介紹過了，因
為它真的很好用，濃淡也
可以自行調配，還可以完
全把精華液鎖住不流失。
有時候冬
天天氣又冷又乾燥，我
會把它當晚安面膜。

法兒蔓
肌密再生活化霜一二號

50ml / NT$8,300（一號）
50ml / NT$8,700（二號）

一號霜跟二號霜都是質地豐潤的「滋養」面
霜。一號霜滋潤度高，二號霜滋潤度更高，裡
面一樣都有昂貴的DNA及各種抗衰老成分，我
自己是用一號霜，只要擦一點點就有隱形的保
護膜，不曉得是不是因為DNA的關係，皮膚吸
收的很透。

La Prairie
魚子美顏豐潤霜

100ml / NT$19,300，500ml / NT$53,000

貴婦級的魚子精華霜，搽起來
真的是名符其實非常豐潤，好
像整個皮膚都澎起來了！不曉
得為什麼，只要擦他們家的魚
子系列，擦起來皮膚都很滑。
（果然是頂級魚子，好像我
的皮膚在吃魚子醬）而且
功能也是很全效…緊實、
抗皺通包！

53

特別集中保養

以前的安瓶，幾乎是所有新娘子在結婚前，會使用安瓶集中保養14天，就是為了在14天後當個最美的新娘子！其實，現在不需要當新娘子也可以一年來個1～2次的大保養。

因為安瓶每一小瓶的成分都很濃縮，等於把好幾瓶精華液濃縮，所以裡面的保養、緊緻、修護…等性能也提高很多，當然效果也會很快速的呈現。

（當然…價錢也不便宜啦！）

如果妳是平常不保養的人，突然間交個男朋友，想要快速變臉，那就………………………那就去整型！……不是啦！沒有啦！…我是開玩笑的！😖……那就拿出安瓶來個集中大保養吧！

安瓶

swissweda

肌因工程賦活安瓶

5.5mlX8 / NT$6,800（週年慶價）

不要再罵我只介紹貴的，我終於幫大家找到一個價錢親民的安瓶了。

說實在的，我自己也鬆了一口氣，用起來就可以比較捨得多幾滴。

現在最流行的DNA成分是這個安瓶的主角，我擦完之後整個臉只能說「緊」！就好像塗了蛋白在臉上乾了之後的樣子，知道我形容的「緊」是什麼意思了吧？果然是快速提拉緊緻呀！

Darphin

深海基因緊提極致黑鑽能量安瓶

5mlX6 / NT$15,500

光看它的產品介紹：成分是「深海基因」、「30天肌膚宛若抛光後的稀世美鑽」…贏了！衝著這句話，我就跑去買。買了之後才知道，我成了識貨之人呀！因為它是安瓶界的口碑品！不過，要乖乖每天密集的用喔！（不然怎麼叫「集中」哩！）用完一陣子之後，我發現我的臉部好像有新細胞再生的感覺，柔嫩有彈性，還增加了明亮度。值得一試！（但……什麼是「深海基因」啊？？？）ㄟ…說來話長，櫃姐可以為您詳細說明～～

極めろ!
Claudia
美人道

I'm Just So Love Pink…

無敵愛美神

*So Amazing Product
I've Never Seen.*

年紀越大，
角質越今耶...

Polished Skin Not
Microdermabrasion!

ch.09
美人兒去角質，
幫臉部皮膚拋光！

The Older You Are, The Thicker
Your Dead Skin Will Be.

之前有個朋友，很困擾的跑來問我：「為什麼我擦了這麼多保養品，都沒有什麼效果啊？還是很暗沈無光耶！」

我看著她的臉。「妳是不是偷懶，都沒有定期去角質？」

很多美眉平常只知道要往臉上擦保養品，但是卻不知道要定期去角質，以致沉積的老廢角質一直阻塞在毛孔！沒有排除老廢的角質、煥新膚質，保養品當然很難被吸收囉！

去角質的目的之一，就是要讓皮膚能好好吸收妳所使用的保養品，不然擦再多、再貴的精華液也是浪費！

所以我在**大敷臉**前一定會先去角質，才不會阻斷面膜中的養份被吸收！去完角質，感覺毛孔都通透了，保養品才能深入妳的肌膚發揮功效。即使很多人都覺得我的皮膚已經夠好了，應該不需要再做去角質了吧？

錯錯錯！如果妳是這麼想的，那就有點保養知識不及格囉！

千萬不要以為，只有那些毛孔粗大、容易出油的皮膚才需要去角質！這已經是落伍的觀念了。尤其隨著我們的年紀越大，代謝會越慢，皮膚的角質會更容易生成，也更頑固！

所以，熟女們反而要更增加去角質的次數。做完臉部去角質後，就好像在幫皮膚拋光一樣！

就像很多雷射，就是在幫妳做深層去角質，所以打完之後，妳會覺得皮膚變細緻和亮白了！

果酸換膚也是同樣的道理。

所以，我除了在做每天例行性的保養流程（**小敷臉**）可以不用去角質之外，當要做工程比較浩大的保養（大敷臉）、或是想用比較貴的面膜敷臉時，還是會先做臉部去角質，以確保那些保養品和面膜都能夠獲得更完全的吸收，以免做了白工、白花了保養品的錢！

Exfoliating Products

>>還有很多美眉問我：「為什麼我都已經是用很貴的去角質產品了，臉上看起來卻還是黯淡無光？」還有，「為什麼我使用的去角質產品會有屑屑產生？」

如果妳已經用了去角質產品，臉色看起來還是很暗沉的話，很可能是因為——妳臉上的角質並沒有真正的去乾淨！可能還有深層的角質妳沒去到！（這就好比客廳掃好了，但床底下沒掃到！）也有可能，是因為妳沒有選對好的去角質產品；也有可能是因為妳的方式不對。

而產生皮屑的問題，多半都是因為：妳的角質層太肥厚了！所以當妳在使用去角質產品按摩揉搓時，就產生了皮屑。所以不用擔心！

臉部去角質的概念相信大家都已經知道了，接下來是要針對膚質選擇合適的產品。如果妳選用顆粒太粗的產品，就容易搓傷臉部肌膚，所以愛美神建議美眉們，臉部的去角質還是選擇顆粒比較細的比較好，或是用比較細緻的方法來做。而身體去角質的產品，就可以選用顆粒比較粗的，例如：海塩。（該不會有人曾經用海塩來做臉部去角質吧?!）。

我比較常用的去角質產品有**顆粒狀**、**泡沫狀**（搓了會有屑屑），以及**果酸類**的產品，我會依照皮膚當時的狀況來選擇去角質的方式。

當角質層比較厚的時候，我就選擇顆粒狀的去角質產品。

還有一種泡沫狀（非磨砂）的去角質產品，先把泡沫擠出來塗抹在臉上，過一會兒之後用搓的方式去角質，角質就會隨著去角質產品變成屑屑掉下來。甚至，有時候我都拿來連脖子一起搓。（當我看到很多屑屑掉下來，覺得...好爽喔！好像臉變得超乾淨的。）

而當我想要溫和一點的去角質時，我會選擇濃度較低的果酸類產品（10％），幫助皮膚溫和的新陳代謝。

當我想要大掃除時，我才會用濃度高一點的果酸。

但是，果酸不是用一次就好，果酸是要循序漸進式的！

愛美神
小提醒

果酸類的產品是依濃度高低，來決定溫和或刺激。所以選用時要密切注意果酸的濃度、以及自己肌膚的狀況，不要別人用就跟著用！

大部分的使用方式，一定是先從低濃度的開始，再慢慢增加果酸的濃度，循序漸進。絕對不可以貪快！因為妳不曉得自己的皮膚承受度有多高？一下子就用太濃的，很可能會導致皮膚過敏！

像我自己也是從低濃度開始，慢慢培養成可接受高濃度的果酸。（姊姊有練過喔！◕◕）但我選用的果酸去角質產品濃度卻很低，只有10%左右。因為去角質比較常做，而且平常我有在用果酸及左旋C的保養品，已經有在維持角質的平衡了，所以絕對沒有角質肥厚的問題。（哈哈哈~就說有練過吧！😀）

愛美神最愛產品名單　*Very Essential Products for Claudia*

年度大掃除

Remove Your Body's Garbage Once A Year.

ETUDE HOUSE
磨術泡泡去角質慕斯

120ml / NT$450

這是一瓶有趣的去角質，它擠出來的是泡沫慕斯，再把泡沫塗在清潔完後的臉上（先把臉上的水拭乾），加以按摩輕搓，就會出現屑屑。（這時你就可以玩搓搓樂！😊）我曾經抓一個很久沒有去角質的人來實驗，發現搓下來的屑屑竟然是黑色的耶！矮油~

瑰珀翠
玫瑰精華磨砂洗顏乳

100ml / NT$1,350

這品牌以往都以身體保養跟手部保養著稱，這是他們新推出的臉部保養系列。
它是洗臉兼去角質的產品，因為顆粒非常細，就算是當作每天的洗臉都很溫和。

Good Skin Labs
集效果酸煥膚雙步驟

30片＋30片 / NT$1,900

因為它是微量的果酸（10%），所以在我自己使用3次之後，皮膚就有明顯的光澤度。

這個有兩個步驟：
1. 要先用煥膚片清拭全臉（避開眼周）。
2. 再使用平衡棉片擦拭。（包裝上面會寫得很清楚，千萬別顛倒了。）

Darphin
青春煥顏珍珠微雕霜

50ml / NT$3,000

這個顆粒比較粗一點，但裡面有四種不同大小的顆粒，所以才說是珍珠微雕霜。只需要一點點，就可以讓肌膚徹底拋光。我超愛這香味，有精油的芬芳。

BIOPEUTIC 葆療美
果酸微剝組合

3件組 / NT$880

如果妳很久沒去角質了、或者角質層肥厚者，偶爾可以讓皮膚來個年度大掃除！
它是屬於比較居家溫和煥膚型的，是「煥膚」不是「換膚」喔！
因為它的濃度只有20%，所以它才叫微剝「煥膚」。不像以前的「換膚」都會整個臉像顏面燒傷似的紅腫！所以不用擔心。
但是，之後妳會發現妳的肌膚像是新生的感覺。
一整組有洗臉、調理液跟乳液，不到一千元。便宜又好用，讚！👍

洗完澡，全世界都聞得到~

ch.10
洗出香噴噴
美人肌！

Take A Sweet-Smelling Bath.
Don't Wash Your Moisture Away.

"香噴噴的洗澡時間，是愛美神最喜歡的時刻了！

我挑選沐浴乳有2大原則～香味和功能！

要嘛…就是以香味取勝，味道夠吸引我，可以香到全世界都知道！洗完澡都會有女神再世的FU！…😤

要不然…就是功能要很強，把洗澡當保養！

我會挑那種內含滋養乳霜成分的，一邊洗澡一邊滋潤肌膚，洗完後水水嫩嫩、又白裡透紅的！一整個呈現出漂亮的美人肌！💀

以香味來說，我最愛的是Victoria Secret的"愛的魔咒"（中間粉紫色）、和"草莓香檳"（中間粉紅色）～在我心中可是並列No.1的！👀

它們也有出身體乳！當年我在美國念書的時候就開始喜歡用了。

這個阿～可是香到誰一偷用，馬上就會被抓包：「吼！～妳敢偷用我的…」😣（超好認！）

還有bath and body works的沐浴乳和身體乳液也不錯，價格不貴而且夠香！超讚的…😇

不會像有些品牌的沐浴乳，洗完後也沒啥味道…完全沒有香浴美人的FU！…一整個很弱啊…💤

這麼多年來我始終無法捨棄它們，就是因為太香了！洗完連自己聞了身上的味道都會很舒服、很愉快！…（都想叫自己寶貝了！…😊）

之前我也會用Marks & Spencer的Magnolia Moisture Rich Foaming Bath Cream，味道也很香乁，我一個弱女子可是一次7、8罐的遠從香港扛回來乁！…一整個重死我了！…😑

（沒辦法～當時台灣沒有瑪莎百貨，現在台灣分店也都結束營業了。）

很多國內外的女明星們都會用泡澡來保養肌膚，不過，我以前不常泡澡乁…因為很怕無聊…厂厂💗

61

>>但偶爾還是會衝著專家說泡澡可以瘦身、流汗、促進新陳代謝…等，一大堆的好處，想說自己不常流汗…嗯，還是來給它泡一下好了！～

所以…我就會搬一堆雜誌和書進浴室去…跟它拼了！👾

（不過…下次搬新家我比較想裝一台電視在浴室裡世！…這樣我就更不怕無聊了😝）

切記！泡澡時水溫不要太熱，大約泡個40分鐘就OK可以起來了！～不然肌膚原本的水分可是會流失掉，反而越泡越乾ㄋ！👁

還有…有些網友會問我，想要身體美白的話，可以用什麼沐浴品？這個阿～我忍不住要說實話…

以我多年的經驗，ㄟ～好像沒有什麼身體美白的沐浴產品是有效的。（除非妳想學埃及豔后每天用牛奶泡澡，不過…有人知道她是黑的還是白的嗎？）

想美白…倒不如靠吃的保養品、或是徹底做好防曬還比較有效！💀💀

而如果要挑功能取勝的沐浴乳…我愛用CANUS山羊奶回春沐浴精，裡面有含山羊奶的成分，所以感覺好像在用奶洗澡般的滑嫩。

記得喔！要讓泡沫在身上停留15秒後再沖洗，才能讓養份吸收。懶惰一點的人，洗完澡後還可以不用擦身體乳液，果然是懶人澡！😁

洗澡時，我有分快澡Take a Rough Shower.和慢澡Take a Careful Shower.。

慢澡會加個定期去角質，不過以前對於身體去角質的產品，我並沒有很要求…反正不就是磨砂之類的嘛～一般平價的就可以了！…

CANUS肯拿士
新鮮山羊奶泡澡沐浴乳
476ml / NT$1,080
1,000ml / NT$1,980

想用牛奶泡澡嗎？那就可以用這一罐，雖然它的價錢比回春沐浴精貴一點，但它裡面山羊乳的成分更高、滋潤度更好！所以冬天我都重金拿這罐來洗澡、甚至洗手！一邊洗澡也要一邊保養皮膚。

>>像我覺得一般藥妝店就買得到的 SANA 絹鹽（圖右）300多元>>> ，容量大又不錯用。

但我現在升級了！會用有加精油的去角質產品，不但有去角質的功能，還能讓皮膚柔嫩。

爆汗湯

如果妳很少泡澡，想要一次讓毒素排出或是妳想要來個汗如雨下，就可以試試日本的爆汗湯。（現在日本藥妝店都有在賣）我曾經試過，果然如其名…爆汗！…我快被我的汗淹死了～ ◕◕

我的最愛

瑰珀翠芳香秘笈系列
花蕊去角質&果酸去角質
450ml / NT$1,500

〈花蕊去角質〉
這罐我都是冬天用，因為它有薰衣草與花梨木精油，裡面還有玫瑰果，所以它的滋潤度很夠。就算是乾燥的皮膚，去完角質後，都好像剛做完精油SPA，我超愛這種感覺。

〈果酸去角質〉
這罐我都夏天用，它裡面有尤加利、萊姆精油和薄荷，不但味道清新，去完角質之後身體會有冰涼感，熱意全消，真是消暑去角質王。

NOV娜芙
深海礦泉美肌水
190ml / NT$880

身體保溼露，可以加在所有身體的乳液裡面，台灣藥妝店現在有賣。

這幾個可愛的小香檳是泡泡浴，但實在是太可愛了，到現在還捨不得拿來用。

"Ya！😄 …愛美神的保養術，竟然連日本人都知道耶！

還有日本雜誌專程👀來採訪我的保養哲學喔！（這也算是台灣之光吧？ㄎㄎ😷）

日本雜誌主編很好奇我都是怎麼保養和卸妝的？她說從沒見過像我這樣不上妝皮膚還是很棒的藝人耶！厂厂

這倒是真的！…因為藝人常常都要頂個大濃妝好幾個小時！作息又不定、飲食也不正常，還常要出外景曬太陽…所以藝人也比一般人更難維持她的皮膚狀況…

而光想到這些有害元素對細嫩肌膚的強力摧殘，就覺得好可怕喔!!～🍊我慶幸自己從很小的時候，就喜歡拿保養品來亂塗亂抹…（富有實驗精神！😷）長大後才發覺，好像就是因為這樣才讓我的膚質一直都很不錯！…不上妝也很白皙透亮呢！💀

這一堂課，愛美神要來教美眉們正確的美白法喔！但是在美白之前，愛美神要告訴大家，千萬千萬不能忽略掉的一個重要關鍵～那就是：防曬!!

防曬，真的比美白還重要喔！😇妳們一定想問我為什麼？因為…紫外線超級可怕的！我超怕它的！…📷"它"對皮膚的殺傷力超大、沒防範好就會帶來永久的傷害…（哭哭！）

>> "它" 會害我長出怎麼都去不掉的斑！難以撫平的皺紋！…還有，膚色也會變得暗沉無光！…一整個乾乾乾啊！…

尤其是我皮膚白，只要稍微一曬就完啦！馬上…（真的是馬上喔！）就長斑了！…（恨哪… ）

紫外線，絕對是讓妳變醜變老的女人最大公敵喔!!!…

獨家 紫外線滾開！5口訣！

燙傷有～沖，脫，泡，蓋，送！5步訣
而防曬呢？愛美神也發明了5個口訣喔！…

防曬：躲，遮，包，擦，卸！
（為了鋪這5個梗，想超久的啦！）
讓我們一起跟 "它" 拼了！

口訣1

Hide 能躲就躲！

躲！

→請叫我小強！

一到夏天…我就變成小強了！每天生活在陰暗處！（咦？…我怎麼也開始怕拖鞋了?!）

我要躲什麼？當然是躲太陽囉！我已經好幾年沒有白天去玩水上活動了！…（嗚嗚嗚…犧牲真的很大！）
不過，也因此換來我全身上下都沒有曬斑喔！
（還是很值得啦） …
不然我就得要花更多錢去讓自己白回來、除斑了！

口訣2

Cover
能遮就遮！

遮！

 防曬終極道具：抗UV陽傘、抗UV眼鏡、**抗UV帽子＋抗UV面具**！（咦…真的有這種東西嗎？）有！但…不是很好看！

我的秘密武器之 1
My secret item No.1

終極抗UV面具！

登登登!～是這種啦！ 我的『無敵黑武士帽』

NT$380元

不是這種黑武士面具啦！真嚇人……

用法示範圖：它是可以活動的喔！

68

口訣3

Wrap
能包就包！

包！

→像在"開控訴記者會" ，包得緊緊的！

就算再熱，我也捨不得在大太陽底下曝曬我的皮膚…（當然工作除外！）所以無論走到哪，我都會隨身攜帶薄薄的外套或是襯衫、披巾…之類的。

我是寧願醜、寧願熱…也不想被毒辣的太陽曬到！

我的秘密武器之 2
My secret item No.2

紫外線防曬外套！

台隆手創館有賣
NT$1,250元

據說可以阻絕91%的UV喔！有帽子跟長長的袖子！

袖子上面有套環，可以套在手指上，讓袖子不會因手部活動而褪後。

買的時候雖然心裡很好奇：「為什麼可以阻絕紫外線呢？是它的材質有特殊成分嗎？難道一般的長外套不能防曬嗎？」

但…我還是買了！

我的秘密武器之 3
My secret item No.3

會計用的袖套升級版！

以前我開車時會戴上半截黑色的袖套，都被朋友虧像大嬸！～很土！（泣～）

現在…終於有粉紅色的袖套了！YA！（感動捏～）

台隆手創館有賣
NT$350元

而且還有連接手指了…長度也夠長，這樣開車也可保護手指不會被曬黑囉！袖套的背面是小小的透氣孔，所以戴起來並不會覺得悶熱。

整套防曬裝備搭配
起來是這個樣子：

妳一定很想問為什麼我的上半身包的這
麼嚴實，但下半身卻穿著短褲、不做點
防曬吧？我希望我的腿能曬黑一些，這
樣可以看起來瘦一點…😊

咦？…我可以順便去指揮交通了廿！

（還是忍不住要自拍一下搞笑圖片😆）

口訣4

超級重要

擦！

Apply
能擦就擦！

寶貝們一定要做到這一點喔！👍👍👍！真的很重要！

→不嫌煩的塗塗抹抹好幾層！

SPF50 PA+++是最基本的！

這個好習慣我一年四季都做！已經維持了10幾年了！（不好意思講20幾年……）從防曬隔離霜SPF50 PA+++開始，做好每天的基礎防曬喔！…（好啦😏…冬天可以用SPF30的啦～）

愛美神最愛
產品名單
VERY ESSENTIAL
PRODUCTS
FOR CLAUDIA

Drugstore Brand
開架品牌

Counter Cosmetic Brand
專櫃品牌

L'OREAL 巴黎萊雅

完美UV超效防護隔離乳液

SPF50 PA+++ 30ml / NT$520

還有這個開架品牌我也覺得不錯喔，價錢又實惠！還有三個顏色可以選喔！常賣到缺貨ㄋㄟ！寶貝們，不管妳是否要去海邊玩、或只是進冷氣房上班…都要記得搽上防曬乳喔！

雖然一般的防曬隔離霜最高的防曬係數只做到SPF50，妳一定很想問：「有沒有再高一點的啊🔍？」不行ㄝ！…因為現在有規定最高只能到SPF50喔！沒關係，我可以再給它多上一層BB霜！

雅詩蘭黛

極致晶燦光超亮白隔離霜

SPF50 PA+++ 50ml / NT$2,000

有添加美白功能，是這品牌的常賣王喔！而且不油不膩♥！我已經用了好幾條了！是我愛用的防曬乳…

醫美品牌

杜克H

艾莉卡防曬凝膠

SPF50 50ml / NT$1,200

有聽過防曬也有出凝膠狀的嗎？哈哈！被我找到了！這應該是市面上唯一一款防曬凝膠吧！凝膠狀的好處，就是比一般的防曬霜、防曬乳來的更清爽、不油膩，不會覺得臉上擦了一層悶悶不透氣的感覺，就算再補妝，也不會覺得厚重，夏天用最適合不過了！也特別適合油性肌膚使用。

ETUDE HOUSE

Total Age Repair BB Cream SPF45
皇家肌秘極緻煥顏BB霜

SPF45 PA+++ 50ml / NT$980

我發現了現在最高係數SPF45 PA+++ 的BB霜😄了！我特地託朋友從韓國帶回來的喔！以前我會上有防曬功能的粉底啦，但自從有了BB霜之後，我就不上粉底了！BB霜好用太多了！
但是，如果妳覺得BB霜的遮瑕度不夠的話，可以再上一層防曬粉底。

優麗雅

防曬霜

SPF50+ 50ml / NT$1,350

最高防曬係數

這是市面上現存防曬係數最高的防曬霜，它是IP90，IP是歐洲的單位，差不多是我們的SPF，因為台灣有限制SPF最高不能超過50，所以大家可以自己換算它有多少防曬係數呢？而因為它的防曬係數很高，所以擦起來也會比較濃稠、悶熱，建議大家用薄薄的層疊法來擦拭，不要一次擠太多量來擦。

PS：這款非常建議給雷射、手術、換膚過後的人使用，因為這時候絕對不可以讓皮膚受到紫外線的刺激喔！

SKIN79

璀璨名媛防曬粉凝霜

SPF50 PA+++ 20g / NT$630

質地有點像膏狀，但卻不厚重～

73

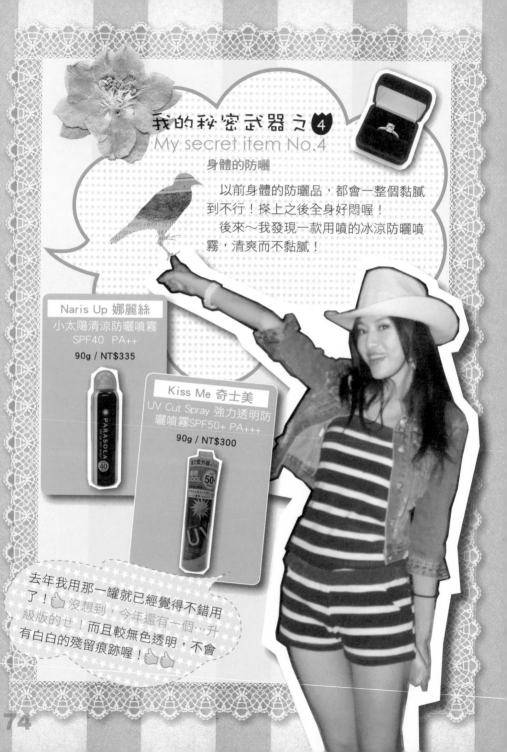

我的秘密武器之 4
My secret item No.4
身體的防曬

以前身體的防曬品，都會一整個黏膩到不行！搽上之後全身好悶喔！

後來～我發現一款用噴的冰涼防曬噴霧，清爽而不黏膩！

Naris Up 娜麗絲
小太陽清涼防曬噴霧
SPF40　PA++
90g / NT$335

Kiss Me 奇士美
UV Cut Spray 強力透明防曬噴霧SPF50+ PA+++
90g / NT$300

去年我用那一罐就已經覺得不錯用了！👍 沒想到，今年還有一個…升級版的世！而且較無色透明，不會有白白的殘留痕跡喔！👍👍

口訣5

Remove
能卸就卸！

卸！

→洗卸一定要乾淨！

因為防水、耐汗、高係數的防曬品如果沒有徹底卸乾淨，可是會造成滿臉粉刺喔！（嗯…説的嚴重一點大家比較會怕吧！）

之前，我就是因為出外景，狂擦身體的防曬品，結果只顧把臉洗卸乾淨，卻忘了身體也會殘留防曬液！（幵 我當然有洗澡啦！）結果…手臂上竟然長出一顆顆的粉刺耶！

所以，現在只要身上有擦防曬品，洗澡時我一定會用海綿多搓幾下、多洗幾次！…別忘了多幫身體去角質喔！

本錢厚的 ～也可以買專卸防曬乳的潔膚凝膠呦！

美眉們～照我愛美神發明的 ──防曬5大口訣～躲，遮，包，擦，卸！

好好的寶貝一下自己的肌膚吧！

以後，即使夏天太陽再大，也不用太擔心會曬黑、曬傷囉！

一白遮ノノノノノ醜！

ch.12

美白の道！

A White Complexion Is Powerful
Enough To Hide Seven Faults.

"每次只要錄女人我最大（護膚單元）心湄姐都愛虧我説：「玫萱真的…『超級白』（雙關語）乀…」咦？…妳這是在罵我嗎？

其實…不是我愛白，是我想要肌膚亮澤無瑕！

因為斑一出來就很難跟它説掰掰了！～所以…防曬、美白這檔事，我可是365天都不敢偷懶滴！～

乀…妳以為美白做個一星期或一季就可以囉？…拜託一下！～每次看到廣告説 "幾天就可以白回來"…我心裡都忍不住要OS：別鬧了!!…那那那—我這10幾年來這麼辛苦是在幹嘛呢?!…（不過…我還真希望能趕快發明那種東西！）

持續地美白，就是為了不讓黑色素有機會沉澱下來變成斑！…

就算打掉了，它也會慢慢的長回來！一輩子恐怖吧?!…都跟著妳耶!!…

注意囉！…一旦曬黑了想要白回來，打美白雷射，或許可以有機會；但是曬出斑來，就算打雷射都不見得有用喔！

Claudia's Choices Of Whitening Products.

美白類的產品我不喜歡用不痛不癢的…（因為我已經很白了）

"醫美品牌"的美白產品我覺得效果最好、也最快！因為有效成分濃度較高，但也比較容易造成敏感性肌膚過敏。

"專櫃品牌"的美白產品則是濃度較溫和，效果是慢慢漸進式的…所以也要比較有耐心的擦，主要還是要看妳膚質的接受度來選擇乙…

我個人是愛用醫美品牌的左旋C產品來美白啦！而如果妳是剛開始用的人，建議從濃度低一點的開始用…

>>我也是循序漸進的先從10%開始用,然後用15%的,接下來才進階到20% 😊。

有些人剛開始用左旋C產品時,因為左旋C偏酸性的關係,臉上會覺得有一點點刺刺的…

那是因為肌膚剛開始接觸左旋C產品,會有一點不適應,但是當妳慢慢的、每天讓皮膚習慣左旋C產品之後,皮膚就會開始漸漸適應、比較不會有刺刺的或熱熱的感覺了。

過一陣子,妳會發現臉上開始有屑屑…請不要擔心,之所以會產生那些屑屑呢,是因為左旋C產品把妳皮膚上老廢的角質代謝掉了。

恭喜囉!我最愛這種有新皮膚出來的亮澤感 ❤!看起來更白皙!所以,妳也可以把美白當做是肌膚的更新ㄛ!

不過…我發現有些人很認真的擦美白產品,卻一點都不注重防曬!!不會吧?!這麼可怕的事都敢做!!(咦…這到底是周星馳哪一部電影的台詞啊?)😁

對我來說,
防曬就是美白!怎麼可以分開了!美白第一步就是防曬!
(上一篇有講得很清楚了喔…)

防曬請務必做到一年四季
"滴水不漏" 的境界!

1 防曬隔離霜盡量選擇透氣但係數高的。
(我自己是SPF50以下不用!!!)

2 隔離霜之後,可再擦有防曬係數的BB cream!
或是潤色隔離霜!!!徹底多層防護!

3 粉底,粉餅及蜜粉,也盡量用有防曬係數的。

>>不然要是曬成黑人，
誰也沒辦法幫妳了，寶貝！

　哪像我從小就資質聰穎，
10幾歲就開始美白和防曬了！

　我上輩子可能是蟑螂或是吸血鬼投胎
的吧?!所以沒辦法活在太陽光底下！
雖然也曾經發神經想學人家當個小麥肌
美人，"恣意"的在沙灘上做日光浴…
（但至今只有海邊包緊緊的回憶 👓）

　呼～好險！當年沒做出這種傻事～
因為，當年"恣意徜徉"在陽光下的
黑美人兒…
現在都變成…黑斑美人兒了!!…😝

　還有…防曬的同時，隔離霜顏色也要
好好注意一下乙！…
我常常看見有些路人，用錯防曬隔離霜的顏色，結果臉變得太白…

　唉～我都很想雞婆的告訴她們有哪些好用的!!…（別打我！😝）
寶貝們!!…可別像藝伎一樣走在路上乀…
要美白也得要好好選擇防曬品乙!! 💀

這是拍雜誌照，講解、介紹
我平常是怎麼使用導入儀。
（我當然是在沒有化妝的狀況
下使用的呀！）

這是蜂蜜檸檬蘆薈和薏仁漿，是我夏天的美容美白飲品。

愛美神最愛
產品名單
Very Essential
Products
for Claudia

愛美神小提醒
Claudia's Sweet Tips

含有左旋C的保養品容易氧化，要盡快用完，免得變質！（所以市面上含左旋C的美白都很小罐）

BIOPEUTIC葆療美

我的最愛

VC25% + 富勒寧超白精華液

15ml / NT$1,680，30ml / NT$2,880

葆療美玻尿酸
瞬效保濕純露

這一家醫美品牌的東西我都很愛用，尤其是他們家的C系列的產品！我找到市面上維他命C最多，我以前用了4年的葆療美20%左旋C保濕露已經停產了，現在出了升級版。

30ml / NT$1,280

葆療美20%
左旋C保濕露

除了維他命C加到25%，還添加了現在最新的美白科技富勒寧。所以美白效果更好、更不刺激，而且效果更快。讓皮膚光澤淨白，解決粗糙暗沉的問題，效果很好。最好搭配上它的麻吉葆療美玻尿酸瞬效保濕純露，效果更加乘。

杜克C

複方強效精華液

15ml / NT$4,000，30ml / NT$6,450

這個醫美品牌也是專門做左旋C的，但它的左旋C最高只有到15%。它是左旋C跟維他命E合體。也是建議要搭配它的保濕B5凝膠一起使用。

杜克C

色素修復加強劑

15ml / NT$2,000，30ml / NT$3,350

這瓶是針對局部想要加強的地方，例如斑點或是暗沉。我自己都是拿來加強顴骨附近，因為那裡比較容易長斑。

PS1.建議所有含維他命C或左旋C系列產品，都要搭配保濕玻尿酸來使用，可以加強舒緩鎮定肌膚，減少C的刺激性。
PS2.這個要放冰箱喔！

ARDEN雅頓

艾地苯高效橙燦菁華

50ml / NT$7,800

經典長賣商品，添加了招牌成分抗氧化天后艾地苯，抗氧化效果比一般人熟悉的Q10還要多好幾倍せ！除了美白，也可以幫助抗老喔！

佳麗寶

w多元極效潤白晶

45ml / NT$3,450

這一罐精華液擦起來是乳液狀，還滿保濕的，所以懶人還可以把它當成是美白乳液，也是屬於比較溫和型的美白，敏感肌膚都可以用喔。

美白針，
「針」營養

How to Choose White Needles?
A Awkward Customer.

"很多人問我：「打美白針真的能夠美白嗎？」

基本上，我覺得打美白針對保養而言是個不錯的選擇！但是…不要只把美白針狹隘的定義在「美白」這兩個字上面…

因為，美白針其實蘊涵了很多的維他命和胺基酸的養分在裡面！

所以，不但能促進新陳代謝、排除體內毒素、清除自由基…而且有了那些維他命的營養，當然也更能抒解疲勞和恢復體力！

有了那些加持，當然也比較能從體內修補、維持皮膚的活力。

所以…我認為打美白針或多或少會有它的效果，但究竟是不是立刻、馬上就讓妳變白？是因人而異的！

打美白針對我而言就像是打營養針，不只是美白喔… 👀

我個人覺得，美白針需要常打，較能看得出效果！…最好是每隔二、三個星期就固定打一次美白針，長期下來一定會有它的效果。

假如妳半年才打一次美白針，那當然不可能呈現出幾個星期就打一次美白針的那種效果啊！

任何保養都是這樣的吧…不要期待打一次美白針就能立即見效！如果真的一針見效，那也未免太可怕了吧！是不是?!

有一年夏天，我在南部拍戲，幾乎是一回台北就趕快去打美白針，因為南部的太陽實在是太毒了啦！我覺得光是待在室內也會被曬黑！

>>可千萬不要輕忽室內的紫外線啊！那一陣子我很密集的打美白針，我發現我真的沒什麼曬黑耶！（真不曉得這該不該歸功於我的防曬功夫硬是要得啊？哈哈！）

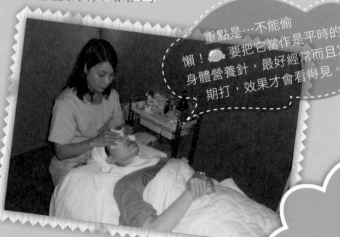

重點是…不能偷懶！要把它當作是平時的身體營養針，最好經常而且定期打，效果才會看得見。

如何選擇美白針？
How to Choose
White Needles?

有很多醫美診所都有美白針，打一次大概是1～3千元…

為什麼差距這麼大呢？因為要看它美白針裡面是加了什麼樣的內含物？

像大部分的美白針，除了有胺基酸、維他命C、維他命B群、維他命B12之外，還有保肝劑、硫酸鋅…等。

當然，妳還可以請診所外加其他的營養成分。

不過…要小心！

還是有朋友被不肖業者欺騙，從頭到尾她打的就只是食鹽水當基底，外加點葡萄糖而已，卻當美白針來收費！…

所以，在打針之前要檢查，看點滴瓶上標示的營養成分、以及檢查點滴瓶是否有回收使用過的情形！（主要是怕它回收使用過的舊瓶子，卻自行添加不知道是什麼的內容物來欺騙妳！）

然後再問清楚護士小姐裡面的內容物有什麼？（藉機考她一下）

不過不知道這樣會不會被說是奧客?!

極めろ!
Claudia
美人道
I'm Just So Love Pink...
無敵愛美神

Advanced Skin Care Make Your Skin Perfect.

吃得美中美
方為人上人！

ch.14 吃的保養品

Care Products by Eating !
I Believe Where There Is A Will
There Is A Way.

"**我**除了塗在身上、臉上的保養品之外…吃進肚子裡的保養品我也很注重喔！…我堅信**內服外敷，多管其下！**更有效…

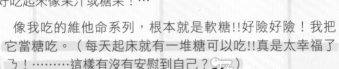

Take Orally and Use Externally!

好像藥罐子喔！

　　像我每天都會吃維他命C、維他命B、Q10、綜合維他命、膠原蛋白…一大堆哩哩扣扣的保健和口服保養品！

　　就因為我每天要吞一堆保健食品和口服保養品，除了看效果和成分外，口味很重要…

　　童心未泯的我，不喜歡那種會有味道跑出來的膠囊，
　　最好吃起來像果汁或糖果！…

　　　　像我吃的維他命系列，根本就是軟糖!!好險好險！我把它當糖吃。（每天起床就有一堆糖可以吃!!真是太幸福了ㄋ！………這樣有沒有安慰到自己？）

　　　　不過我還是要跟大家說，我堅信！有吃就有保佑！

I Believe Where There Is a Will There Is a Way.

　　　　因為吃的保養品是長期性的功效。
舉例來說，敷完面膜之後，妳會覺得皮膚狀況很好、立即有效。但是有時間性，只能維持幾個鐘頭（而且只有臉）。

　　但吃的保養品，或許妳不能馬上吃馬上有效，但長期調理下來，妳全身的狀況都會一起變好，維持的時間是好幾年！

　　我自己的體驗案例 **1**：之前夏天在南部拍戲，其他的女演員也都有做好防曬的措施，但是一天下來，她們就是比我容易曬黑。
　　原因就是除了防曬，我還有吃一堆維他命及美白保養品，所以我比別人不容易黑！

　　　　因此…一直以來，雖然我比較注重在我「這顆臉」的保養上，但我全身皮膚的狀況也都可以保持得還不錯。

>>體驗案例 **2**：因為從小，我的月經都是不正常的。

所以每一次月經來，我總是會痛不欲生。這叫「痛經症」，每次痛到都會在地上打滾，要去醫院掛急診、打止痛針！

經過朋友介紹，我開始吃女性藥（中將湯和中將藥丸之類），就真的改善很多！而且每個月都順順的來。

所以，我不只在買保養品上面花大錢，在買吃的保養品上我也花很多錢。但是，我堅信！（又來了 ）這是值得的！

好像跟「保養」這兩字有關的，都要花很多錢！

愛美神最愛產品名單

Very Essential
Products for Claudia

You Can Be Beautiful By Taking

Good Care Of Your Womb.

這些都是在COSTCO買的，容量大又好吃！👍

我爸每次看我吃，都忍不住會說：「這是小孩在吃的吧？😵」

糖果式維他命系列
The Series of Vitamins In Candy Shape.

Q10?!是抗氧化的Q10嗎?!⋯

L'il Critters
綜合咖貝熊軟糖

220粒 / NT$475

補充綜合維他命！⋯是可愛的咖貝熊造型喔！一瓶裡面有很多口味，吃起來跟真正的咖貝熊軟糖沒太大的差別，絕對可以騙小孩！（騙我都可以！👻）

Co Q10
輔助酵素軟糖

150粒 / NT$830

哈哈!!⋯⋯聽過Q10也有出軟糖式的嗎？被我找到了！不過真的沒有比上面那兩種好吃。

（喂！不要挑了～可當糖果吃、不用吞藥、又可以保養皮膚⋯就該偷笑了!!👄）

vitafusion
維他命C軟糖

200粒 / NT$550

柳橙口味的軟糖，真的很好吃！有時候一口接一口，會真的停不下來。曾經被客人以為是軟糖狂吃了半罐，害我心疼的不得了⋯😩

Calcium Chews
巧克力口味營養軟糖

150粒 / NT$750

它是女生需要補充的鈣，裡面還多了維他命D跟維他命K！也滿好吃的，像在吃巧克力軟糖般～好幾年前我在美國的時候就已經開始在吃了，但美國還有更多口味唷！

女性藥系列
Medicine For Female Only.

難怪老一輩的人會說：「女人子宮調理好，人才會美！」

小時候不懂這個涵義，一天到晚在喝冰冷的東西！害自己的體質容易很寒，進而影響到生理。

難怪外國女性老的快，反而亞洲女性較看不出來，全歸功於我們有中藥來調養身子。

津村

康蓓芙中將湯

24包1盒 / NT$850

中將湯的升級版！

以前中將湯是茶包式，需要沖泡，較不方便也不能隨身攜帶。

現在升級為顆粒狀，一小包一小包，方便使用還可以隨身攜帶。（以前沖泡式的，常常買了卻忘了泡來喝，現在隨身放在化妝包中，會提醒我記得吃。）

效果也是跟上面的差不多，這個還可以調理貧血跟虛弱體質。

PS：據說這兩款也能延緩更年期唷！

津村

樂慕爾久膜衣錠

140粒 / NT$800

這是一位女藝人介紹的！

她說她也是因為看到朋友的媽媽都已經七十幾歲了，因為長期吃這個，整個身體狀況、皮膚狀況看起來都像是只有五十幾歲而已！

後來她自己吃了一陣子，覺得很不錯。後來，我自己吃了，也覺得很不錯！YA！

除了改善我的經期不順所帶來的頭痛、冷感症、月經痛等症狀，也調理了我的身體。

顧身體系列
The Golden Time Of Body Repair.

AGROLABS
蔓越莓全果實萃取還原果汁飲料

32oz / NT$800

早上空腹喝，對女生泌尿系統不錯！私密處比較沒有異味和白帶。

Esfight gold-DX
維他命B（B1、B6、B12、E）

90粒 / NT$268

這個是維他命B，在日本很出名。它可以減緩眼睛疲勞、肩痛、腰痛的症狀。

顧可飛
葡萄糖胺軟骨素

946ml / NT$950

葡萄糖胺軟骨素（就像液態的維骨力）和蔓越莓果汁也是去COSTCO買的～
試過很多種葡萄糖胺液，大多喝起來像咳嗽藥水，但這瓶喝起來像果汁，沒有太重的藥味，有喝真的感覺比較不會腰痠背痛せ！（不知道是不是心理作用？）

這些窈窕系列不是減肥產品喔,只是可以讓妳減少吸收食物的熱量而已。

窈窕系列
The Series Of Getting Fit.

DHC
輕盈元素
80粒 / NT$590

它們家賣最好的美體保健品。有多種代謝成分,幫助妳代謝掉多餘的熱量。記得要飯前吃喔!

DHC
甲殼素
90粒 / NT$390

甲殼素是針對減少油脂的吸收,在吃油膩膩的食物之前,先吃這個就對ㄌ!

DHC
藤黃果精華
150粒 / NT$420

它有加入辣椒素和維他命B群,促進脂肪和能量代謝。意思就是,趕快把吃的代謝掉啦!
這個是要飯後吃喔!

DHC
綠藻
90粒 / NT$290

能促進腸胃蠕動,適合"ㄅㄅ"會卡卡、和蔬菜水果吃太少的人吃~(就是我!)

DHC
武靴葉
60粒 / NT$390

武靴葉則是針對糖份的吸收。抑制糖分和澱粉吸收,享受甜食無負擔!
這也是要餐前吃喔!

記得!
大部分的保健食品和口服保養品,都要有耐心、長期地吃…
最好在早上和睡前空腹的時候吃!
如果可以的話,大家還是要乖乖照著做,身體才會好、皮膚才會水水的呦~

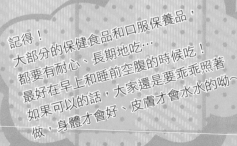

我是面"魔"人！

ch.15 皮膚的救世主！
有敷有得救，沒敷沒得救！

我不能沒有你！
我愛你...面膜！

The Savior of Skin!
Facial Masks are Everything.

"我的好膚質，除了來自從小就超愛保養、喜歡塗塗抹抹之外，還有一個很重要的秘密武器！⋯⋯面膜!!～😊
我愛面膜！～我愛面膜！～我超愛面膜的!!～～

So Lost Without You, I Love You...Facial Masks.

貴的也試、便宜的就更不囉嗦了！
直接買回家去試！👀
我每天一定都要敷面膜！😝

我身邊很多懶女人朋友，日常保養做的很2266不太用功⋯

等到皮膚出了一堆狀況⋯皺紋、暗沉、乾癢、斑點、熊貓眼時，才跑來抱我的大腿⋯叫我救救她們!!⋯挖勒～

ㄟ⋯我又不是佛祖，抱我大腿有用嗎?!⋯🤳

我愛面膜愛到可以一直不停的、瘋狂的買面膜、試面膜！

所以勒～我要給我最愛的面膜下個口號⋯（我最愛給保養品想口號了！嘻嘻⋯😆）

"皮膚的救世主！有敷有得救、沒敷沒得救！"

⋯⋯嗯～應該不會說得太重了吧？😅
不過⋯面膜真的有急救的功效啊！
不然怎麼會有急救面膜這個名稱呢？😇

面膜還可以針對妳要急救改善的部分～
保濕、美白、清潔、緊緻、抗皺⋯
來加強下手！⋯什麼功效都有耶!!

我已經把敷面膜當做是「每天基礎保養的一部分」了！

（這是個好習慣，希望大家也可以試著培養！）

>>不要再給自己藉口了喔！…敷一次頂多10多分鐘而已嘛！寶貝～😝
我很愛敷完面膜之後，臉上的皮膚ㄅㄛ亮ㄅㄛ亮的！～
就好像有人幫妳打了蘋果光一樣!!👀

所以呢～面膜可以說是愛美神用得
最兇的保養品了！

而且～我特別偏愛塗抹
式的面膜！（敷完後
要洗掉）

另一種敷完之後不用洗掉的，
大部分是晚安面膜！

敷這種"面膜"跟"片狀面
膜"不一樣，不但可以趴趴走
不用躺著敷…

（我就常常邊敷邊打文章、邊看電視、邊吃零食…
一心三用！…😊）

而且，聽美容師說，這種面膜滲透力和所含的滋養成分濃度也比較
高…更重要的是，平均起來每敷一次的單價還比較便宜！

片狀面膜的保濕度雖然比較立即見效…但一定要躺著
敷！（很多人都邊敷邊走動～～
結果，精華液都沒吸收到
被浪費了！）

我是面"魔"人！

也提醒大家，千萬不要敷
到睡著了！…大約15～30分鐘就要拿
下來，免得臉部水分又被面膜倒吸回去喔！

愛美神最愛
產品名單

Very Essential
Products
for Claudia

塗抹式面膜
Rinse Off Masks

法兒曼
更新面膜

50ml / NT$7,180

它是貴婦級的沙龍品牌。面膜雖然常會換來換去,但這一款始終是愛美神使用率最高、使用最久的!(已經用10幾年囉!)

看過報導像孫芸芸、關之琳很多明星也都愛用這個牌子的。雖然一罐單價很高…但是有50ml,可以敷很多次。

而且連眼周都可以敷喔!把眼膜的錢都省下來了!…這樣換算下來就不會心疼了!

SUISSE PROGRAMME
更新面膜

200ml / NT$3,780

當我看到它的名字也叫更新面膜之後,眼睛馬上為之一亮!…

難道…跟我最愛用的法兒蔓更新面膜有異曲同工之妙嗎?

可當更新面膜替代品!

果然!…它的質地跟味道還蠻像的,所以是…可以拿它當代替品?莎莎裡的櫃姐姐們有說,真的有很多人拿它來代替法兒蔓的更新面膜耶!!

加上看到它超大罐的!…200ml才3,700多!不囉嗦,買了!興高采烈回家敷了之後,感覺還不賴!有像更新面膜喔!!不過…成份當然沒比那罐更新面膜濃,效果就少了一點點(一分錢一分貨嘛),就敷厚一點及更密集的敷囉!每天狂敷也不心疼!~

片狀面膜
Sheet Facial Mask

肌膚之鑰
嫩白煥膚精華面膜
6副1盒 / NT$3,600

👑片狀面膜之王！

它分上下兩片，上面是
美白明亮、下面是提拉緊
緻，分工合作！敷完之後
…我只能說，超讚的！好像臉剛剛泡在精華液
裡洗澡！白皙之餘，整個臉超Q！好像一搓
就會有精華液「噴」出來！…（小姐…
妳未免也太誇張了吧?!）

SK-II
青春敷面膜
6片1盒 / NT$2,100

講到這個品牌，
大家都會聯想到它的面膜
吧！也算是天后級的～

效果當然不需要我再多說啦！～
我都趁週年慶才買得下去，
平常省著敷，捨不得天天用…👀

倩碧
水磁場保濕面膜
6片1盒 / NT$1,380

也是面膜界的好用品！
保濕效果真的不錯～
我比較常在夏天使用…
敷起來感覺好像有一層水凝膜在臉上!!

ETUDE HOUSE
水足感膠原精華高效面膜
1片 / NT$100

這是美眉們推薦給我用
的，可愛吧！
她們說，她們都拿這
個來急救保濕，因為裡面的保濕精華液也是非
常的多，最方便的一點是：它可以單片單片購
買，不傷荷包。我用了之後，也覺得效果不錯
，蠻保濕的喔…但愛美神我從來不一片一片
買，只要好用，那就買個一拖拉庫回家
囤貨啦！（哈哈哈哈！財大氣粗…）

mes beauté
美白保濕面膜
4片1盒 / NT$1,280

我覺得它的面膜敷起來
服貼又保濕！～不輸給名
牌面膜喔！京華城有專櫃
～不過，因為每天敷面膜，有的一片就要好一
好一幾百元!!（>_<卻口咬了！...）我也
捨不得天天敷乃！…這也是為什麼我一
直在找尋可以有事沒事敷也不會心
疼的平價又好用面膜了…

特別作用面膜
Special Function Masks

説實在的，面膜有分千百種!!我把這幾個歸類為 "比較有特別作用的面膜"，較不同於一般的保濕面膜或緊緻面膜。

粉刺拔除面膜
The Acne Removing Mask

VitaSkin
拉皮緊膚面膜
76ml / NT$1,870

很多人可能會覺得奇怪？
…我怎麼沒有介紹深層清潔面膜呢？

因為…我覺得深層清潔面膜很好選擇，不是什麼火山泥就是什麼海底泥、噴泉泥…效果也都大同小異，所以大家可自行尋找。

但拔除粉刺面膜就不是什麼牌子的都可以拔起來了！而…這一款是我用過拔除粉刺最厲害的！大家看到下面 "粉刺連根拔起的屍體照" 就知道有多厲害了！

PS：那不是我的粉刺喔！是我借人家的鼻子來試驗的，愛美神我是不可能有那麼多粉刺滴！…

刮痧面膜
The Scraping Mask

后
天氣丹津率享紅山蔘清氣面膜

100ml / NT$2,680

蛤?!妳有聽過刮痧面膜嗎??…沒錯!還有附一支刮痧棒耶!～

別擔心…就像幫臉部做排水、排毒、按摩一樣的道理,這品牌在韓國也是屬於貴婦級的喔,自從我之前接觸過韓國保養品,就開始對含有漢方中藥成份的保養起了興趣…

這面膜裡面含有紅山蔘,不但可幫皮膚排毒,還能幫皮膚補元氣!～

最重要的是,還可瘦臉喔…(因為水跟毒都排出去了)

晚安面膜
The Night Mask

我稱為"懶人面膜"!…因為敷著睡覺,可以不用起來洗臉。

PS:記得喔!是在所有的保養程序完了之後,才能塗上晚安面膜。

同場加映:
晚安眼膜

NARUKO
水仙全效修護
眼周晚安凍膜

30ml / NT$349

有出眼膜。這是牛爾(是老牛啦!)的自營品牌,便宜又實惠。質地是凝凍狀,好像敷了一層保濕眼膠睡覺喔!每天敷也不怕長肉芽。

雪花秀
與潤面膜

120ml / HK$450

這是這個品牌的人氣面膜!裡面是漢方成分,所以很溫和,就算敷整晚也不會造成過敏,而面膜的潤澤感更能幫助保養品被吸收!

我有實驗過!當我特別敷上晚安面膜睡覺時,隔天早上起床…哇!～皮膚特別好!光亮光亮的!(是出油)……不是啦!!是保養品被完全吸收的光澤感啦!

厚～這下妳們有福了！

麥擱共…我都沒介紹平價的東西了喔！

我花了很多時間跟金錢，幫大家分了3大類不同質地的平價面膜來介紹喔！愛不愛我啊?!

來囉！

寶藝
保濕冷敷劑
550g / NT$1,260

有獲得 Fashion Guide 的網友投票特優喔！
超大容量550g，厚厚的敷！用力的敷！浪費的敷！都不會心疼啦！…
我覺得這是唯一一個敷上之後 "不會嚇人的面膜"世！但最重要的，還是敷完之後超有感覺ㄉ了世！…讚啦！皮膚QQ、透透、嫩嫩…毛細孔也變小了世！…不信的話…現在親自下海敷給大家看啦！～

它是透明的果凍狀…（妳看我都快用完了喔！）

所以敷起來還算美啦！（歹勢…我自己覺得啦！不然怎麼敢敷給妳們看？）

怎樣？有亮吧！…

我已經很白了，但覺得敷完後更白了喔！姐妹們，有水嗎？

千萬別省喔！…要厚厚的給它敷下去，效果才會更好ㄌ！（反正很大罐）

敷完再用棒子刮掉面膜，一邊刮時，就已經看到皮膚的透亮感了世…

Simply
極致活膚乳液雙拉提面膜

10片 / NT$199

也是有榮獲 Fashion Guide 的網友
投票特優，這款在購物台超熱賣，
也已經是小有名氣哩…居然有香港

B.購物台便
宜好用面膜

朋友特別回台灣時要我幫她買…
（真的是出國比賽啦！）
是我用過單價最便宜的片狀面膜世…一片才19.9元！水
啦！它的特色就是耳掛式雙拉提、裡面的精華液又很多！
面膜還可覆住整個下巴及脖子！敷完皮膚會濕濕的…澎
起來了!!
ㄟ～我不想給妳們看到我是木乃伊…所以不示範！哈～
（也建議大家：不要常常讓男友看到敷臉的樣子，
親愛的，別破壞他們的幻想啦…）

C.藥妝店便
宜好用面膜

瑪奇亞米
生物纖維面膜

3片 / NT$299

好啦～介紹完上述兩款塗抹式
面膜及片狀面膜後…
來介紹個特別材質的！——生
物纖維面膜。
通常生物纖維面膜的成本比較高，所以每一片單價都不
便宜…
但這款是我覺得便宜又不錯的生物纖維面膜！
（而且我是藥妝店有折扣時299買的喔！）
這種生物纖維面膜的特色就是：好像是一層透明的皮膚！
緊密、服貼、不會亂滑亂跑，也不會滴滴答答的！
所以也是可以稍微一心二用啦…但請不要煲電話粥喔！
世。
因為可以很緊密的服貼，好像也讓皮膚緊緻了一點

>>以上…這些就是
愛美神我幫大家精選
出來的面膜啦！
有沒有很實用
啊?!…

我可是辛苦的在花
錢、花時間試用耶！
把自己當神農氏在嚐
百草！～

為了造福所有的讀者們，
愛美神我可是不惜血本的豁
出去了！

所以…姊妹們，沒事在家當宅女也要和我一樣…
乖乖的敷面膜喔!!

有敷有保佑喔！～

SPF
15

嗚嗚～好傷本唷～
PS.這可不是假鈔，是
「活生生」的真鈔喔！

ch.16 我是便秘達人！
宿便美人！

受不了的挑戰
…瘦！

The Unbearable Challenge
…To Be Slim.

" 很多人問我要怎麼保養身材？怎麼吃才能保持身材纖瘦、不發胖？好心虛啊！ 看我的標題就知道…

我在這裡，一方面很汗顏的公開我的瘦身保養之道…一方面，又不免要擔心這 "錯誤的示範" 會對小愛美神們造成反效果啊！

身為藝人，三餐及日常作息異於常人已經是家常便飯了！…

我通常一天只吃1餐或2餐…而且都是在晚上8點到10點之間才吃我的第一餐！

妳們不知道我是 "宿便達人" 嗎?!

因為我每天一起床就要趕著把自己打扮得美美的去工作，沒有時間好好的坐下來用餐（頂多是喝一杯咖啡）…

加上我的個性又 "灰熊龜毛" ，非得要有足夠時間（至少2個小時）讓我能靜靜的、好好的坐下來用餐！…

如果要我在15分鐘內囫圇吞棗的解決一餐，我寧可不吃！因為這麼緊張緊張緊張、刺激刺激刺激（小時候很迷布袋戲 ）的用餐環境，會讓我消化不良、脹氣、胃痛！…

因為，我應該可以說是這世界上吃東西速度最慢、而且吃得又多的人吧！（我是愛吃鬼～）到目前為止，我還沒看過吃東西比我還慢的人耶～ 我想，有可能是我這種近乎自虐的不正確進食方式，導致腸胃吸收不佳！…

我的便秘史（羞羞～）…
說長不長、說短不短！
掐指一算，也差不多有
10多年了！

The Place We Swam In Is Table.

>>為什麼會提到我的便秘史呢？

因為…我認為瘦身的第一個敵人—就是累積在體內的宿便!!

這十多年的便秘史中，我的一個麻吉… > > >
一直默默的陪伴著我，是我
用來對付宿便的最佳利器！

『人生浣腸』果然是我一
輩子的好朋友呀！唉～這
就是人生。（淚~）

後來…我也嘗試不同的酵
素，有木瓜酵素、藍藻酵素、綠藻酵素、水果酵素、山
苦瓜酵素…等，幾乎市面上所有有的沒的酵素我都嚐過了！

感覺對於改善我長久以來的便秘好像頗有成效！
因此，我的麻吉—浣腸，出現在我日常生活中的次數越來
越少了。

我對抗肥胖的第二個敵人：就是我很愛吃東西!!

唯一的方法，就是克制食慾！

我的瘦身方法是先從吃的部分開始節制！一般人是少吃多運動…但是
少吃對我這種愛美又愛吃的人而言，已經可以算是一種酷刑了！

而叫我為了瘦身去做運動，更不可能！

唯一的運動
就是"桌上型游泳" !!…
而且還得有3個朋友陪著我
一起游不可！哈哈～

所以…之前諾美婷還沒被禁售
時，我是拿諾美婷來當
救急的！

如果我胖了很多、
又沒辦法控制食慾
時，才會吃個一、二
天來克制食慾！

等到我把食慾縮小後，就不會吃了。

所以…我從來沒有把一整包諾美婷吃完
過！（因為我吃了會有頭暈、心悸等不
舒服的症狀）

>>諾美婷停售之後呢？…有朋友給我試現在新出的 > > >
它類似以前的藍色小藥丸（減輕版），一樣也
是排油的，但比較沒那麼恐怖！…

不過…我個人的確減少便秘跟排出多餘的
油脂。（建議還是要墊一個衛生護墊，比較保
險！免得妳一個不小心打了個大噴嚏……）

但是，現在有限制必須要滿18歲以上、BMI高於25的人才可以購買！
所以我都很珍惜我朋友給我的那幾顆！我只在要吃油膩的大餐前，例如
麻辣鍋…才捨得拿出來吃，隔一天…順暢！

現在沒有藥物啦！只能用土法煉鋼的方式，就是～推脂！

感覺如何？…我只能說……哇！超痛的!!但效果很好，所以只好多
忍耐了。因為按摩可以幫妳加速血液循環、淋巴循環！把體內酸性物質
藉由排汗、排尿，排出體外。

推脂，可以把身體硬的脂肪變軟，這樣就比較容易代謝!也可減少橘皮
組織的生成!還可以幫妳做局部雕塑！

我自己是針對下半身來進行推脂，因為我容易水腫，尤其是腿！
由於我懶得運動，所以我花錢請人家幫我被動式運動！

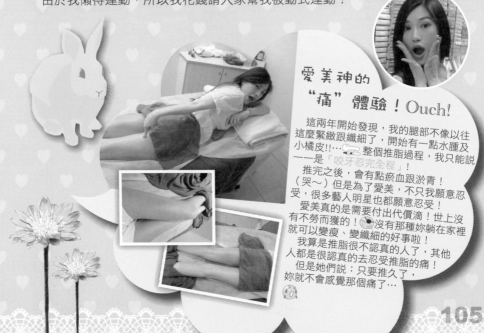

愛美神的
"痛"體驗！Ouch!

這兩年開始發現，我的腿部不像以往
這麼緊緻跟纖細了，開始有一點水腫及
小橘皮!!…整個推脂過程，我只能說
一一是「咬牙忍完全程」！
推完之後，會有點瘀血跟淤青！
（哭～）但是為了愛美，不只我願意忍
受，很多藝人明星也都願意忍受！
愛美真的是需要付出代價滴！世上沒
有不勞而獲的！沒有那種妳躺在家裡
就可以變瘦、變纖細的好事啦！
我算是推脂很不認真的人了，其他
人都是很認真的去忍受推脂的痛！
但是她們說：只要推久了，
妳就不會感覺那個痛了…

>>現在有一個很流行的碎脂機，因為不會痛，所以大家很喜歡。它可以把硬的肌肉變軟、再搭配上手技推脂，這樣推下來比較不會痛。

因為我身上有太多毒素了，所以我每一次去推都會"出砂"，美容師都說我身上有太多的酸性物質了，她說：「妳常熬夜吼？」蛤?!…妳怎麼知道?!被妳發現了！（還不都是為了你們！為了要出書！◯）

這個是「震波碎脂機」，完全不會痛！它主要是軟化妳體內的脂肪。

這是提臀後的照片，看我臀部弧度有往上翹唷！

愛美神新體驗！
Claudia's New
Discoveries

這個機器叫「大腿剋星」，用起來有點痛…
若是針對瘦腿的話，應該是這個比較有效果！
聽說這兩台機器，每天使用率非常高，從早到晚幾乎沒有停過，可見得每天有多少人在使用！…（PS：妳們看左右兩隻腿差很大吧?!右邊大腿是做過療程後的照片。）

106

（塑身衣／蘿琳亞提供）

>>有的人會用瘦身霜來幫助瘦身，但我覺得瘦身霜其實沒有辦法真的讓妳瘦個一、二公斤！

它的功效是讓皮膚緊緻，比較不會有橘皮組織。我的瘦身霜經常被我用來當做身體乳液，做按摩推脂！

或是可以去美材行買身體按摩輔助器或是體刷，比較省力。

像我洗澡的時候都會趁身上還有泡沫時，用體刷用力來回按摩我的大腿及臀部！

如果妳不想花錢去推脂，也可以這樣。但要狠得下心，推用力一點！😁

這下子大家不會納悶了吧?!為什麼我那麼愛吃、又便秘、又宿便👀…卻還能擁有白皙透亮的肌膚?!並且保持如此纖瘦的身材！…

答案看似簡單，可是卻是我靠著很不簡單的堅持（不吃）＋毅力（忍痛）…才好不容易達到的！

結論是：我花了別人兩倍的時間，和金錢在保養啊！（哭哭～）

愛美神の秘密武器 Claudia's Secret Item！

咖啡色的這個刷子是推起來最痛的。

這些是我的「推脂工具」。
不要以為它們是洗衣服用的刷子，它可是推脂專用的刷子喔！老闆說，連三溫暖、瘦身中心的小姐都會來買這些刷子，還有克蘭詩的小姐也會來買喔…

藍色的刷子是有滾輪的，推起來比較不痛。老闆淡淡的說：「它其實只有一點點排水效果。」（咦～意思是說不痛，就沒效果嗎？）

ch.17

把光療當 "做臉" 一樣，快速又有效！…

就是那道光！

"LET THERE BE LIGHT",
AND THERE WAS LIGHT.

AUG 13 1943 A.M

"**風**靡萬千貴婦和少女的「醫美光療保養」…

唉呦！～早在10年前、還是第一代脈衝光的時候、我就勇敢的去打了！

而且那時候的機器和醫生的技術沒那麼先進，比較容易有反黑和副作用。

但我還是要當人肉試驗機!!

（不然怎麼有資格叫無敵愛美神啊?! 😁）

那個時候打一次要上萬啊！…滴血！～ 😵

現在就不一樣了！…不但安全性提高、機器種類多、醫生技術好（…護士又很正… 🌐）價錢又比以前便宜！…

別再怕了！就把光療當做臉一樣，快速又有效～

從脈衝光、蘋果光、到晶鑽光…

從飛梭雷射、淨膚柔膚雷射，到粉餅雷射…

從白瓷、黑瓷娃娃雷射…還是什麼電波、光波拉皮…

這些…一半以上我都試過了啦!! 💀

THE HUMAN EXPERIMENT MACHINE.

但是…如果妳問我，什麼光跟什麼光…效果有什麼不一樣？

ㄟ 😓 …我也不知道ㄋ…

其實，我覺得好像什麼光都差不多，只是波長不同，（不知道是不是現在流行名字都要聽起來很厲害啦！😎）所以我特別去做了功課…

拿幾個比較出名的來說好了！

下面這個表格是診所給的比較表，**紫紅色字**是我自己體驗的真心話…（但因人而異，我的忍痛度比較強）

109

光療比較表

CLAUDIA'S SPECIAL

	粉餅雷射	淨膚雷射
		（柔膚）也稱 為白瓷、黑瓷 娃娃雷射
「適用對象。」 Apply to	膚色暗沉&回春、毛孔粗大、青春痘等。 愛美神： 比較像是什麼都有的雷射(有美白、緊緻、淡斑的複合性效果)最適合當作1個月1次的保養。	美白、毛孔粗大、細紋、膚色不勻、黑斑。 愛美神： 我只做過1次，主要針對毛孔縮小。
「疼痛感。」 The level of pain.	極輕微。 愛美神： 我幾乎沒什麼感覺。	輕微。 愛美神： 像用手指輕彈皮膚。
「修護期現象。」 Phenomena in revitalizing period.	除斑或青春痘，會有輕微結痂。 愛美神： 完全不需要修復，甚至可以馬上上妝。	乾燥或輕微紅熱感。 愛美神： 我是沒甚麼泛紅，所以不需要修復期，但我會經過4小時後再上妝。
「注意事項。」 Notes	愛美神： 打完所有的光療療程後，一個禮拜內都不要蒸臉、進烤箱、	

INTRODUCTIONS!

飛梭雷射	電波拉皮	第三代無痛電波拉皮
凹陷痘疤、毛孔粗大、雀斑等。	雙頰下垂、法令紋、臉部、眼周肌膚鬆弛、老化。	**愛美神:** 一般人均可,但是效果的維持約是半年到一年,但時間因各人體質而異。
愛美神: 比前面2種雷射強,效果也最顯著!但不能常打,皮膚會變薄。	**愛美神:** 針對緊緻、拉提、瘦臉,效果好,但維持時間因人而異。	
痛。	最痛。	**愛美神:** 對我來講比較不是痛的感覺,比較像是熱能傳導的感覺。心裡的緊張大於實質疼痛感。 每個區塊對疼痛感的接受度不一樣。但基本上是輕微的。所以可以完全不需要打麻醉針。
愛美神: 像用橡皮筋彈皮膚,有痛、有熱感,而且打完臉會紅,需要恢復期。	**愛美神:** 哇哩勒!好像被電到!但現在好像進步到可打麻醉針(牛奶針),讓自己睡著。	
微紅微腫、乾燥敏感。	輕微泛紅。	**愛美神:** 其實不需要修護期,打完沒什麼紅腫現象。打完後一、兩天不可以冰敷,讓熱能維持在臉上。
愛美神: 診所說修復期至少1個禮拜,但我的紅腫1~2天就好了,但我朋友的紅腫3~4天才退。可能因為她的皮膚狀況比較不好,所以修復期較長。	**愛美神:** 幾乎沒什麼修復期,我打完還馬上跟朋友去看電影勒!	
不要接觸熱源,以免太刺激皮膚。		

>>光療，有分波長波短！
強度不同、打入皮膚的深淺層也會不同。

打的越深越痛，但是每個人對疼痛的忍受程度不同，所以反應也會不同…像有的我覺得不痛不癢，但我朋友居然跟我喊痛！…不會吧？（@_@）

也有的…我打了不紅不腫，但我朋友打完…唉呦喂ㄚ！您哪位?!…怎麼會變成一個紅龜粿！

不過，我覺得好像有痛是比較有效也！…（是不是那種“犯賤”的心理作用啊？）

所以如果不太痛…擔心是打得不夠，我還會跟醫生說打強一點！多打幾發！ㄎㄎ～脖子要不要也順便打一下?!…好像是去買菜硬ㄠ老闆送蔥喔！

之後再試波長不一樣的雷射，等肌膚習慣了以後，就可以深淺層雷射交替的打了！

慢慢的…妳就可以像我一樣練成忍者了！…（忍痛度超高！）

剛開始做光療的美眉們，可以先試試無痛感的粉餅雷射！它有很多複合性的效果。

忍者！Ninja！

現在的微整型真的很夯！走在路上…醫美診所、整型診所、皮膚科診所，甚至…我還聽過連婦產科都有在做微整型的…（暈～）

以後會不會連中醫診所都有微整型了啊？…不會吧?!

在此要特別提醒各位美眉們，千萬千萬不要貪小便宜！
千萬不要去不專業的地方、給不專業的人做微整型！（常看電視新聞有這一類的糾紛…）

而且，一定要對症下藥：皮膚出了問題就要去皮膚科診所。

像我每次長了顆大痘子，就慌張地跑去找皮膚科醫生。因為醫生跟我很熟，他都會幽默地說：「妳先去診所晃一圈再進來…」

我回來後，就很識相的說：「ㄟ…我拿個痘痘藥就走先，不打擾你了！…」

（因為外面病患的皮膚狀況都比我嚴重多了…😳）

>>而妳想打雷射光療方面的微整型，就可以到醫美診所。這方面醫美診所的新機器多、選擇性多，醫生跟護理人員的經驗也比較多…

想打肉毒桿菌或玻尿酸的微整型，就應該去整型診所。

因為這是跟臉部塑型有關的，還是要找專業的整形醫生，給的建議也會不一樣。

例如：想要小臉，一般的皮膚科醫生會把肉毒桿菌打在咀嚼肌（就是牙齒咬緊，腮幫子會突出的地方。）

不過…這是比較針對國字臉的小臉打法，而如果妳不是國字臉，是跟我一樣只是想要臉型看起來更尖一點的小臉…

那整型診所的醫生就會建議打在下巴附近跟脖子周圍！…醫生說這叫韓式打法ㄛ！…才會讓臉型有V字型的小臉效果！…😊

（不過，現在有些醫美診所也進駐專業的整型外科了，增加不少方便性與選擇性！）反正貨比三家不吃虧嘛…😖 雖然打光療比用保養品來得快速有效，不過術後的保養更重要喔！打完後的一個禮拜（修復黃金期）一定要密集保養!!

因為光療的原理是先破壞再重建以刺激皮膚新生和膠原蛋白的增生…所以…一定要加強保濕，和非常注意防曬！😎

妳可以狂擦保濕精華液和狂敷保濕面膜!!～但有美白成分的不可以喔！～還有，千萬不可以曬到太陽!!絕對要做好防曬!!這樣錢才不會白白花掉，又可以變身美人兒喔!!

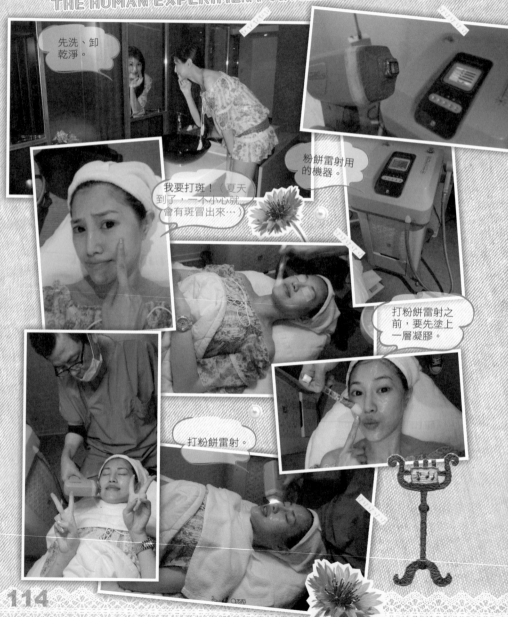

愛美神 "人肉試驗機" 大體驗！

THE HUMAN EXPERIMENT MACHINE BY CLAUDIA.

先洗、卸乾淨。

我要打斑！（夏天到了，一不小心就會有斑冒出來…）

粉餅雷射用的機器。

打粉餅雷射之前，要先塗上一層凝膠。

打粉餅雷射。

打完粉餅雷射後，有沒有覺得我的臉變得更緊實啊?!而且也變得更明亮了！

呃?誰啊?!…原來是老闆！

老闆

打完粉餅雷射之後，馬上就可以出門見人囉！皮膚ㄉㄨㄞ！ㄉㄨㄞ！的勒！沒有紅腫的現象，也不需要休復期。

這個雷射叫「亞歷山大雷射」，主要功能是去除腿毛、腋毛。

這幾張照片是我特別央求朋友讓我拍的！她是打完脈衝光後的反黑，我特別求她讓我拍，讓大家看看錯誤打法的後遺症…看到照片上的五彩指甲，大家不要誤以為照片裡的人是我唷！

每個療程最少要三次，不是做一次就可以全部完成。

我戴著這副眼鏡可不是要去海邊潛水唷！是因為雷射的光很強，所以我要帶護目鏡來保護眼睛。

電波拉皮價位的高低，是由總共幾發碳頭來區分：有600發、900發二種價位。600發的價錢約NT$10-12萬；900發的價位約NT$12-15萬不等。
所有碳頭都必須在同一時間內打完，因此妳可以跟朋友一起share碳頭。例如每人分別打300發，以免打不完浪費了。
一次應該要打幾發？…通常是看妳需要療程的部位區塊大小，多打也沒有用。

116

打之前，需先在臉上印格子（轉印格），醫生才能照著格子打。

這是打了電波拉皮之後，左右兩側下巴的比較圖。有沒有覺得右邊打了之後凹進去比較緊緻？

打完之後，左臉馬上有下巴變尖的感覺。

這些是電波拉皮的機器跟碳頭，好想偷偷把它們帶回家喔！

這幾張照片，都是整張臉打完之後，下巴感覺有變小、變尖了一點。

117

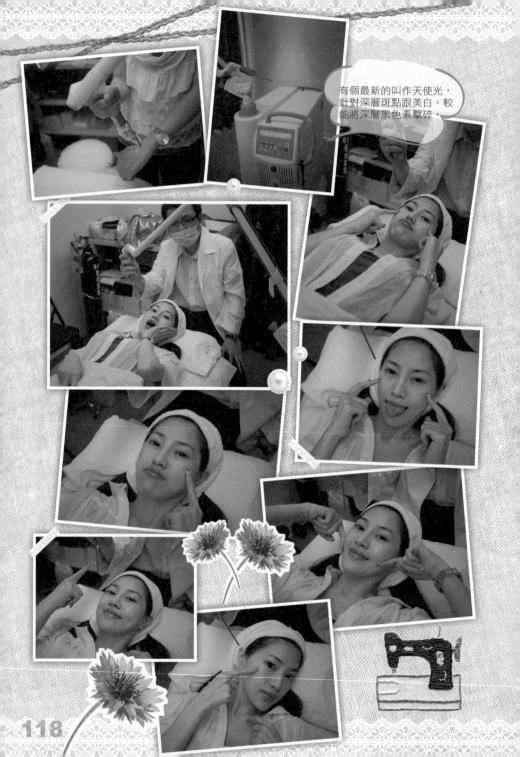

有個最新的叫作天使光，
針對深層斑點跟美白，較
能將深層黑色素擊碎。

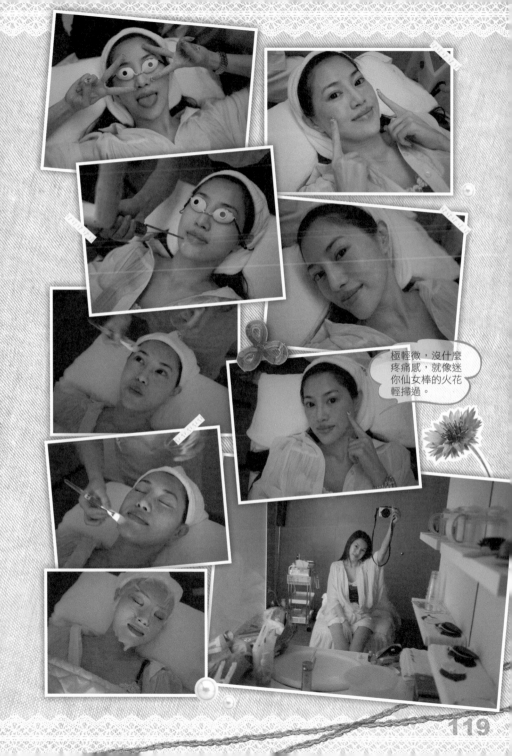

極輕微，沒什麼
疼痛感，就像迷
你仙女棒的火花
輕掃過。

119

ch.18 手部保養：
我有洗手強迫症！

The Fortune Is
Readily Available.

" 雖然愛美神我的臉…已經是吃重鹹到用高濃度果酸或打光療都不痛不癢… 但我的手可是比臉還脆弱!

因為我太愛洗手了! …每隔一小段時間就要洗手一次(我知道…我有洗手強迫症!)

如果超過2個小時沒洗…我就會難受到不行!

所以,我的手就很容易乾燥,一乾燥就容易粗糙又敏感!…
因此,我都選那種洗完較不乾澀的洗手乳!

(有加乳霜成分的最好)

洗完手或只要一有空檔,就會趕緊拿護手霜出來擦、補充水分,讓乾乾的手變回水水潤潤ㄉ,怎麼摸都好細好細…

看看貴婦們的手,幾乎都是飽滿又水嫩的!~
感覺就是有錢人的手!

所以ㄛ!…能通過我這一關的護手霜,才是正港無敵好用的啦!

「不要富貴手,只要 "好命手" !!」(也有愛想口號強迫症…)

不過別忘囉!手部也是要定期去角質的ㄋㄟ!讓手部肌膚煥新,跟臉部去角質同理啦!

現在有推出那種可一邊洗手、一邊去角質的洗手乳ㄛ,真方便!(我果然有洗手強迫症!)

可讓手部有徹底清潔的安全感又可隱約地去角質…

來看看~愛美神的最愛產品名單囉!

121

愛美神最愛
產品名單

Very Essential Products for Claudia

洗手產品

Hand Wash Products

瑰珀翠
潔膚乳 & 去角質乳霜

250ml / NT$800（左）潔膚乳
250ml / NT$800（中、右）去角質乳霜

（左）對於愛洗手的我，這罐超好用。最具PH酸鹼平衡的潔膚乳，不乾澀！裡面有高達14%的綜合植物油脂，一邊洗手還可一邊保養。當我手部超脆弱時，一定用它洗手！

（中、右）這是他們的新產品。跟上一罐不一樣的地方是它的去角質顆粒沒有這麼多，可每天使用多次。讓手部有溫和清潔的安全感、又隱約的去角質！（用白話文說就是一邊洗手、一邊一點點的去角質啦！）

多芬 沐浴乳

1,000ml / NT$199

雖然是沐浴乳，但它加了1/4的乳霜成分，而且價錢也超便宜的ㄋ！（誰說我只會用壽ㄌ?! ☻）

CANUS肯拿士
山羊奶沐浴乳

476ml / NT$1,080，1,000ml / NT$1,980（右）泡澡沐浴乳
476ml / NT$1,280，1,000ml / NT$1,980（左）有香沐浴乳

這是洗澡的，但是它添加了很多羊乳的成分，所以我重金拿來當洗手乳！

> **愛美神小叮嚀**
>
> 外面很多在賣399、499的，價錢實在差很大！
> 很多店家都會說是平行輸入才那麼便宜，所以消費者要自己判斷真假，我自己通常是選擇比較有商譽的店家去購買ㄛ！

護手乳 產品

瑰珀翠
手部精華乳及護手霜

100ml / NT$980（精華乳）
50g / NT$420（護手乳）

　　一定要特別介紹，YA！終於有出手部的精華乳了！它是新成分、新包裝…我都先擦精華乳再擦護手霜，效果更好。

JURLIQUE茱莉蔻兒
玫瑰護手霜

40ml / NT$980
125ml / NT$1,850

　　化妝包裡一定會有ㄉ護手品！
有濃濃的玫瑰味（我愛的香香♥），擦起來很保濕、好吸收，也不會有黏膩感！

ARDEN雅頓
8小時瞬效潤澤手霜

75ml / NT$780

因為質地較濃稠，所以我都在晚上睡覺前使用它！😴 適合手部較乾的人…

PS：偷偷告訴妳，它的味道不是很好聞，我也是花了一段時間才接受。

ARDEN雅頓　8小時潤澤霜

50g / NT$800

　　它很萬用，也非常經典，我通常都拿它來當護唇膏。
但它也可保護並滋潤乾裂的手部、手肘、膝蓋以及足部肌膚，甚至能舒緩輕微的肌膚敏感、曬傷、風吹所導致的乾裂及輕微的擦傷、刮傷。
（未免也太萬用了吧！）
我手指曾經有類似富貴手的脫皮症狀，那段期間，我都在睡前抹8小時潤澤霜，早上醒來就發現完全吸收了！乾燥的區塊也有改善。
不過這個產品非常油，建議大家睡前再使用，或是可以戴上手套。

O.P.I
攜帶型指甲精華筆

7.5ml / NT$750

　　指甲邊緣乾乾的或有脫皮ㄉ話，可用這個指緣油！
特別的筆刷設計，用起來超方便的、味道也很香！～

去角質 產品

PS：其實妳也可以在去身體角質時，順便去一下手啦，只是小力一點就好。

瑰珀翠
手部去角質

250ml / NT$980

　　這瓶針對手部的去角質我用了很多年唷！我都一個禮拜使用一到兩次。
它的顆粒很細緻，所以有時候可以拿來去身體角質。

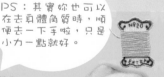

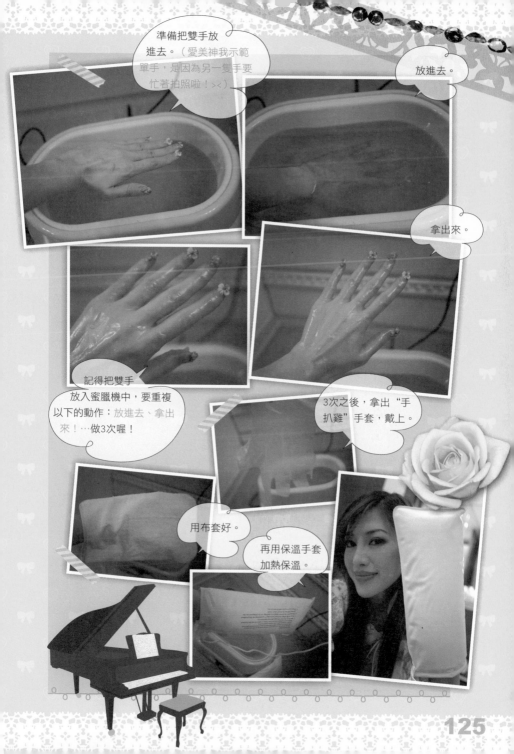

125

手指也要美美的～
我愛指甲油！
& 水晶指甲！

>>這是我最愛的指甲油…
讓指甲油站衛兵，大家排排站好、依四季分類！

春　　夏　　秋　　冬

龜毛到連指甲油都要排排站，還分四季勒！

我最新發明的5
色指甲油擦法！

每次做水晶指甲都會做到快睡著了…

我最愛貼滿鑽的水晶指甲了！bling bling 的，真閃亮！

經過漫長的3、4個小時之後，終於有美麗的水晶指甲成品了！

愛美神小提醒 Claudia's Sweet Tips

買指甲油不要貪便宜…

有些含有甲醛、甲苯等高揮發性化學成分的指甲油，吸入後不僅會造成呼吸道、神經系統的損傷，甚至可能透過指甲油根部滲入人體，影響內分泌系統及生殖系統。

像我還蠻喜歡的O.P.I，是美國很大的一個牌子，在台灣也有美美的門市（大家沒事可以去逛逛～）…買的時候最好注意一下是不是有貼雷射標籤的正廠貨喔！

這不是詐騙妝！...

ch.19
基礎妝：讓妳美美又
快速出門的好用妝！

A Founda

基本假睫毛
示範教學！

tion Makeup.

"蛤?!不是詐騙妝?!…什麼意思阿？
就是…卸妝後不會差很大的妝啦！😶
不會讓男人👹以為是遇到 "詐騙集
團" 的妝啦！

很多網友美眉問我：「妝到底要怎麼
畫？假睫毛該怎麼貼？才會比較好看又
自然啊?!…」

今天，就讓我來教大家如何畫出簡單又好看的基礎妝好囉！

這個妝，主要是針對購物、應酬、上班、約會、姐妹淘小聚…可以讓
妳馬上變亮眼的基本簡單化妝法！

其實，只要學會了彩妝的基本架構，加上一些重要的小技巧，以後任
何場合、妝容通通都可以從這個基礎再自己去延伸、發揮乙！

也就是説呢…這個基礎妝丫，雖然是淡
妝，但是又不會看起來沒有精神！（比
作弊妝更有精神喔!!!👍）而且，還可
以自行調配妝的濃淡ㄌ!!（愛美神強
推啦！～👀）

*Basic Makeup: Useful Makeup Makes
You Fabulous And Ready To Go!*

Part I

愛美神
彩妝教室

Claudia's Make-Up Classroom

基礎妝沒別的，最重要的是→→先讓雙眼有神！👀
再依不同妝效來調配眼妝→→主要在變化眼睛的大小！

STEP 01 　眼圈周圍撲上眼部專用的蜜粉，粉質要挑細緻又保濕的！才不會卡粉或是讓乾紋跑出來嚇人！（愛美神偏愛用laura mercier的眼部專用蜜粉）。

laura mercier
眼部專用蜜粉
用完的罐子可留
下來當作是隨身
攜帶的蜜粉罐。

MAYBELLINE
礦物蜜粉
雖然是開架商品，
但是也有專櫃品牌
的細緻度，因為是
礦物蜜粉所以較不
傷皮膚喔～

各種不同顏色、牌
子的蜜粉以便取用
及隨身攜帶。（這
是可接連式的蜜粉
罐，可以增加或減
少罐子的數量，還
可順便玩積木）

131

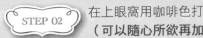

STEP 02　在上眼窩用咖啡色打底（**偏深膚色**），營造深邃電眼效果！
（可以隨心所欲再加上別的顏色眼影，自由發揮囉！）

canmake
各顏色眼影膏，
淺色可以重點打
亮，也是開架式
彩妝。

NARS
眼影膏、腮紅
膏兩用。

資生堂
INTEGRATE
眼影
開架式彩妝，價格
便宜又好用，就算
買到不適合的顏色
也不心疼。

資生堂INTEGRATE
眉粉
因為我的眉毛較濃，
所以用亞麻色當眉粉
較柔和，看起來才不
會太兇，需要補強的
地方可以再調和一點
咖啡色。

CHIC CHOC眉筆
這是我找到最好用的亞麻
色眉筆了！眉筆後端還有
眉刷，使用方便又好畫，
而且很便宜，用完了不需
要再買一支，只需要買更
換的蕊心就好，一個蕊心
只要NT$320，我已經用到
它換了好幾代包裝了。

SEPHORA
染眉膏

132

STEP 03 用眼線筆先打出雛形、畫上眼線！（這時候或多或少會有一些眼線筆畫不到的空洞，不要緊張...）

最順手

M.A.C眼線筆
這支筆我也用了好幾支了，它不但好畫、也不容易暈染，女藝人們也幾乎人手一支。

COFFRET D'OR
眼線液筆
這支一定要特別介紹一下，這種按壓式的眼線液筆我大概已經用了十幾年，大部分只有日系品牌的彩妝才有出，用完也是只需要買裡面的黑色眼線液蕊心來更換就好，絕對不會讓妳的眼線用起來…抖抖抖抖抖～

STEP 04 再用眼線液來修飾STEP 03無法畫到的空洞，如睫毛根處。加強眼線的飽和度，再雕塑眼尾線條的延伸。

防水防暈
染王

佳麗寶
眼線液

ETUDE HOUSE
十全十美雙重
防水眼線液
超防水的!連去墾丁游泳都不會掉。

133

上眼影搭配什麼顏色，記得下眼影也要輕輕刷過！
也可以刷眼窩打底的那款咖啡色。（偏深膚色）

BOBBI BROWN
六格顏彩盤
（顏色自行搭配，這是我幫大家配的大地色系彩盤。）不過別擔心，BOBBI BROWN擁有許多非常自然的大地色系，我挑選的這幾個顏色都非常萬用百搭，又可畫裸妝也可畫小煙燻，一盒搞定，非常好用，我非常推薦，而且顏色可以自行搭配及更換。

BOBBI BROWN
愛戀巧克力彩盤
我最愛這個巧克力彩盤，裡面有很多實用的大地色，非常好用，一盒就可以搞定，就連不常化妝的新手也可以很快就上手…但是它已經停產了。

百搭
不出錯王

STEP 06

請注意！重點來啦！～
先把假睫毛平均剪成4段→→很多女生就是因為直接黏上一整副假睫毛，假睫毛才會不乖、不聽話!不是眼頭翹起、就是眼尾翹起！（這可是用愛美神累積了多年的經驗換來的大絕招啊！）

必備！
假睫毛!!!

HR睫毛膏

134

STEP 07 用夾子輕輕夾起第1段假睫毛，沾上假睫毛膠，從眼頭開始貼…實際上是**眼頭後推1/4處**，不要貼太前面乞！會刺刺的不舒服，也會看起來像鬥雞眼。

STEP 08 從眼頭到眼尾，依序貼上其他3段假睫毛！超有精神的眼妝就完成啦！YA！

PS：要依不同的妝效，來選擇濃密度不同的假睫毛喔！
千萬不要化個淡妝，卻給我貼個像扇子般的假睫毛！這樣很不搭！

STEP 09 最後刷上看起來**好自南（然）的腮紅**，笑肌刷上粉色的腮紅，往顴骨斜上方延伸。如果想要讓臉看起來瘦一點，可在顴骨下方加一點修容，這樣就可以讓妳擁有戀愛般的好氣色喔！♥

NARS腮紅
它的腮紅有最漂亮的顯色度，有最美的粉紅色及最美的『高潮』色（左側）！…哈！不是啦，因為它有個暢銷色叫『高潮』，偏蜜桃色，裡面還有一點點亮粉，刷起來很"不拎不拎"的！這兩個顏色的腮紅是我最愛用的粉狀腮紅。

BOBBI BROWN
繽紛唇頰霜
如果妳想要讓腮紅若隱若現非常自然，也可在撲蜜粉前先塗上膏狀腮紅打底，再撲上蜜粉，就可以讓腮紅看起來自然。

BOBBI BROWN
晶透腮紅棒

STEP 10 　嘴唇塗上淡粉紅色唇蜜（人家就愛粉紅色嘛…），QQ嫩嫩的可愛嘟唇，忍不住想啾一下！大功告成囉！

這幾支是一直固定在用的唇蜜。（怎樣都逃脫不了粉色系！）

Magic Tint Balm

ETUDE HOUSE
魔法新E護唇膏
我都拿這個來當口紅，只要我不化妝一定只擦它。
我已經用了好幾罐了！雖然它是護唇膏，但是它有像果凍般的粉紅，我都拿來當口紅，擦起來好像擁有『果凍唇』般的ㄉㄨㄞㄉㄨㄞ！…而且詢問度超高，每個人都來問我用什麼牌子的口紅。

YSL口紅

ETUDE HOUSE
LUCIDarling口紅

這是Kevin老師介紹給我的兩個YSL顏色很漂亮的口紅。

>>哇!!這麼容易就完成基礎妝囉!有沒有給它很實用ㄌ?!

親愛的!~只要好好練習這些步驟,包準妳出門一定會很有精神又水噹噹ㄌ!(^_^)-☆

Useful Makeup Makes You Fabulous And Ready To Go!

妳也可以再試試加上其他顏色的眼影或彩妝喔!用這個"基礎"去做更多的變化…大家趕快動手畫畫看吧!妳會發現要美美又快速的出門,根本一點也不難喔!

Part II

其他刷具

愛美神
彩妝教室

Claudia's Make-Up Classroom

專門刷側邊修容、蜜粉刷、腮紅刷。

（右1）眼影刷。
（右2）小眼影刷,刷小範圍眼尾。
（右3）眼線刷,眼線上面專門刷深色眼影粉。
（左）下眼影刷。

（白刷）眼睛專用蜜粉刷、（黑刷）眼窩大片面積打底刷。

137

Part III

假睫毛基本
教學專區

愛美神
彩妝教室

Claudia's Make-Up Classroom

這是我家裡的「假睫毛專區」。

這是愛美神最常用的假睫毛。左邊是編號「715」，中間的是「720」，右邊是「交叉8」。

EYE PUTTI
opera

DIY工具：
睫毛膠（這兩瓶睫毛膠品牌分別是：OPERA$250（左），彩蝶$150（右））、小夾子、小剪刀等。

如果妳要比較自然的妝，可以用715。

步驟1

我喜歡把編號「720」跟「交叉8」的假睫毛一起戴。

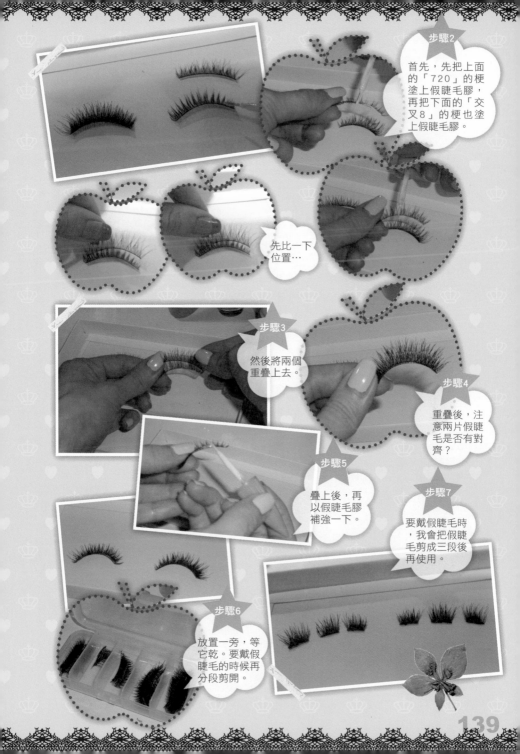

這是我私人的假睫毛收納盒，像不像我養了許多黑色的毛毛蟲？

這個是我偷拍專業化妝師的假睫毛收納盒，排列的非常井然有序。

這幾個是我的假睫毛新歡：由左→右編號：461、463、434、334，新歡因為中間做比較長，所以戴起來會集中在眼球上方，讓眼睛看起來比較圓。

愛美神新歡

妳們看！
這邊有這麼多假睫毛，
我身後那些一盒盒的白
色盒子都是假睫毛唷！
這邊的每一盒價錢大概
150～200之間，而且它
的梗都很軟，不用擔心
戴起來刺刺的。

「嘉賓美容百貨
批發行」是我最
常去的美容材料
行，在台北後火
車站，也是超多
專業美容師愛去
的材料行。

這邊有非常多種
假睫毛的號碼和
款式，妳們可以
先挑選好號碼後
再取貨。

這是假睫毛清洗液
喔！可以清潔假睫
毛上的膠跟殘妝，
等於幫假睫毛洗澎
澎，讓妳可以再多
次重複使用妳的假
睫毛。

妳們知道這是什麼嗎？…
這是給小愛美神們隨身攜帶
的迷你版假睫毛膠喔！讓妳
隨時隨地都不用擔心假睫毛
會掉下來。
它有分黑膠跟白膠兩種，黑
膠塗上後是黑色的，白膠乾
了之後是沒有顏色的。

愛美神省錢敗金術
建議使用假睫毛時不要太
省，而且要時常更換。我
的觀念是不要買太貴的假
睫毛，便宜好用的買一盒
來囤著用。不要把錢花在
單一副很貴的假睫毛上，
不然妳永遠只能重複使用
那一副了。

Part IV

愛美神
彩妝教室

Claudia's Make-Up Classroom

口紅盒
製作教學

步驟1

空的口紅盒
NT$390，
植村秀的。

步驟2

用刮棒把口紅、唇頰彩，或是護唇膏都可以，挖出來放在口紅盒，這樣要補妝的時候會很方便，什麼都有！

大秘訣

記得！每一格都不要放太滿，最好放的量像我這樣，因為妳要留一點空間才可以調色。

完成品

144

愛美神
彩妝教室

Claudia's Make-Up Classroom

幫妳的刷具
洗澎澎喔！

每二、三個禮
拜，我都固定
要幫這些刷具
洗澎澎。

步驟1

M.A.C洗刷水
是我的最愛，
使用非常多年
了。

步驟2

首先將洗刷水
加水稀釋，比
例為1：3（或
1：1）。

步驟3

再將刷具泡入
洗刷水中，讓
刷具泡澡大約
15～20分鐘。

步驟4

泡完澡後，讓
刷具在清水裡
再游泳一下。

愛美神的獨家
專利：作弊妝！

Claudia's Patent:
Cheating Makeup!

ch.20 作弊妝：給妳好自南
好自南的無妝感！

"**現**在網路上很流行 "女生妝前妝後差很大" 的照片！有些看起來完全是兩個人！…囧

　　有次在朋友的聚會中，有個親身經歷的男性友人就哭訴說：「這樣算不算是詐欺阿??!!以後看到女生化濃妝…都會有恐懼感耶!!怕一卸妝之後又是差很大!!…應該會被嚇兩大跳吧?!…

　　所以，愛美神就來教大家一個可以看起來很自然、隨性（假裝不刻意），又可以跟人家說（記得要先假笑兩聲）：「呵呵～我平常很忙了…所以都沒有什麼化妝…哈哈哈！」

　　什麼 "妝" 那麼厲害?!

　　其實，就是愛美神我自己發明的、也超想去申請專利的──噔噔噔！

其實是ㄇㄟ豆打扮很久！

作弊妝是也！😊 作弊妝的功能和好處，實在是太多ㄌ！説都説不完！～

功能①：姊妹們剛認識新男友，暫時還不敢以真面目示人（怕一下子嚇走人家！）可使用。

功能②：説謊時…可使用！

跟其他做作的人出去時，大家都説：「唉啊～我平常都沒什麼在保養皮膚せ！」（她只是每天都去SPA或做臉而已啦…）跟她拼了!!…這時候妳可以驕傲的説：「我也是せ！我今天沒化妝就出門了！」…

功能③：度假，出遊，踏青，懶得化妝，但又要拍照留念時…可使用！

　　妳們看，功能之多，真是居家必備良藥啊!!（哈哈…我是周星馳的影迷啦）有這麼多功能的好用妝，還不趕快學起來？愛美神我就親自素顏示範，如何化出 "自南" 作弊妝喔！…（我大舌頭…）

　　噔噔噔噔！…愛美神彩妝教室又開課囉！童鞋們，來上課囉!!…

Part I

愛美神
彩妝教室

Claudia's Make-Up Classroom

第1課
"自南"好膚質，
要水嫩水嫩
的！

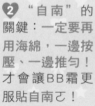
① 在保養程序完成後，擠兩顆紅豆大小的BB霜，點在：額頭、鼻頭、雙頰、下巴，再用手均勻的向外塗抹開來。

② "自南"的關鍵：一定要再用海綿，一邊按壓、一邊推勻！才會讓BB霜更服貼自南乙！

③ 請注意！眼睛的上下方最容易卡粉，就會露出妳有偷擦東西的馬腳！所以，眼下區域一樣要由內往外推乙。

④ 眼皮的地方怎摸可以被發現咧?!當然是趕快推開囉!! 😬

⑤ 鼻翼兩邊也要用海綿順便帶一下乙，輕輕按壓更服貼～

⑥ 推推推……啊！看不到的側邊臉頰也要乙…不然會變成…「轟動武林，驚動萬教」的…黑白郎君啦!!哈哈!!

要讓皮膚有自然的亮度！（油亮油亮滴～👀）所以千萬不能撲粉喔！

>>切記！～
作弊妝的重點是：一定不能有粉感！
　以前還沒有BB霜生出來時，我都是用有潤色效果的隔離霜來作弊滴～

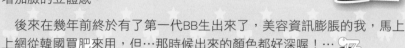

>>資生堂優白妝前修飾霜SPF25 / PA++ >>>

這是我之前愛用的隔離霜，掐指一算，已經愛
用十年了せ！（意思是我的作弊妝已經發
明了十年以上了啦…哈哈！）

25g / NT$1,100

綠色的擦在臉部中間、膚色的擦在兩側，可以
增加臉的立體感。

後來在幾年前終於有了第一代BB生出來了，美容資訊膨脹的我，馬上
上網從韓國買肥來用，但…那時候出來的顏色都好深喔！…

後來又陸陸續續買了一堆BB霜……不是太厚重，就是顏色不自然，或
是質地太乾、難推勻，要嘛就沒有防曬…

反正就是…不自南不自南！一整個不自南！……（氣到大舌頭~）
好險，愛美神我有著不屈不撓、不輕易放棄的精神！
不斷地買來試！

嘿嘿～終於被我找到了吧!!（超得意的！）

介紹給妳們…吼～妳們超有福的啦！

BB霜
產品

Very Essential Products for Claudia
愛美神最愛
產品名單

ETUDE HOUSE
貼身情人晶燦BB霜#02

50ml / NT$600

這款是我覺得顏色自南、好推勻、有
保濕度，還有防曬係數SPF30，也蠻輕薄
滴！我已經用了至少兩條力，這一支特別
推薦給年輕美眉。

據說…因為我無敵愛美神的推薦，現在
已經大一缺一缺一缺貨中了!!!

ETUDE HOUSE
皇家肌秘極緻煥顏BB霜SPF45 / PA+++

50ml / NT$980

現在我愛用的升級版新產品！不但防曬
係數升高到SPF45，而且是一支多機能的
BB霜，有美白＋除皺＋防曬，保養的成
分更多了！

它擦起來的光澤感較多，也比上
一支更保濕、維持的效能也更久，
一整天都不暗沉，這一支特別
推薦給輕熟女以上使用。

現在最愛

ETUDE HOUSE
皇家肌秘6週奇蹟
全效亮白精華組
5.5ml×6 / NT$1,380

經過他們特別推薦，同上款名稱系列的「安瓶精華液」，混合在一起用，BB霜會更保濕、服貼、薄透、自然！最重要的是，更加保養，還加了美白咧。

開架品牌
BB霜

MAYBELLINE

BB霜

30ml / NT$390

　　這款BB霜在開架通路賣得挺好的，我覺得很適合在夏天用，因為它比較清爽又透氣，也比較控油，所以質地比較液狀沒那麼霜狀，怕悶怕稠的油性肌膚更適合用，但它的顏色比較白，不要一次塗太多喔。

SKIN 79

鑽石光絢彩BB刷

20ml / NT$990

　　某位天后代言ㄉ產品，一位彩妝大師錄影時示範在我的臉上，把它用來打亮…它的包裝好可愛喔，是粉紅色的せ❤！還是刷頭的設計，可方便塗抹，但一定要提醒大家：這款BB霜有強烈的珠光效果，可以拿來打亮，卻不建議全臉擦ㄛ！（除非妳想當包子饅頭！～）😖

包子饅頭?!

Buns and steamed bread?!

151

第2課

自南眼影…我不要跟泡泡眼當好朋友！

1 眼影也要用膏狀或霜狀的！用手指沾取眼影膏，大範圍的塗在眼窩處，製造深邃感…（泡泡眼～走開走開!!）

2 再用咖啡色眼線，畫在睫毛根部…（不要用太深的咖啡色捏～）

3 眼尾可以加重及畫長一點點！…（一點點喔！千萬別畫到萬里長城去了…）

眼部產品

（左起）
INTEGRATE眼線眼影筆色號 BR791 NT$260；Benefit眼影膏 色號 recess NT$760；M.A.C 流暢持久眼彩霜 色號 groundwork NT$550

第3課

自南腮紅！…（臉頰就要這樣粉嫩！）😊💀

1️⃣ 從笑肌開始，做 "阿" …的表情，往顴骨斜上方塗抹。

2️⃣ 再用手指指腹輕輕給它推勻～

3️⃣ 腮紅推斜的可以讓臉看起來較立體！但臉頰很瘦的姐妹們，可以推平的乙！

4️⃣ 淡淡勺…像是從皮膚裡透出來的紅潤感!!…自南吧！YA！～😊

153

腮紅
產品

Blush Products

我愛用這幾款膏狀和液狀的腮紅!!
臉頰好像剛剛去運動完的紅潤感ㄛ～

BOBBI BROWN
晶透腮紅棒
色號6 / NT$650

Benefit
甜心菲菲唇頰露

漲價了，變NT$1,000，但好處是它還可以當唇膏使用，是唇頰彩雙用ㄋ，顏色會比上面的飽和。

這款是較新出的顏色，偏粉紅喔！只有這兩罐顏色，就不用寫色號了吧？寶貝們！，價錢NT$650左右。

BOBBI BROWN
繽紛唇頰霜
色號11

Benefit
粉紅菲菲唇頰露

是他們家的招牌商品ㄛ～（我已經用掉了四罐了！）

我覺得很好用的NARS腮紅修容組合。

現在最愛

ETUDE HOUSE
天使之吻柔嫩
唇頰彩（限定版）
10g / NT$290

四款超春夏的顏色，我每罐都有買。幾乎整個夏天都在用這款，而且真的很水嫩，色澤也非常的飽和，就算擦了一整天還是讓妳擁有春天的粉嫩。而且它也可以當口紅，帶一罐出去就搞定！非常建議年輕美眉跟輕熟女都來個一、兩罐。

當妳妝很淡的時候，記得眉毛也要淡淡的喔！

（代表人物…徐若瑄）

1 請先準備：眉刷、眉粉、眉筆，都是淡淡的亞麻色喔！先用眉刷，像梳子一樣梳整眉毛的形狀，把眉毛梳整齊之後更好畫眉形。

2 再用最淺的顏色刷在眉頭，千萬別先刷深色的！（如果妳要演包青天或關公就可以正氣凜然啦!! ）

眉頭刷最淺的顏色。

眉頭。

4 最後的眉尾才用眉筆來加長及幫眉毛塑型。

眉尾用眉筆畫，選擇跟眉粉相近的顏色（此處為亞麻色）。

3 眉中可以再慢慢加點亞麻色或淺淺的咖啡色。

眉毛中段使用中間那格眼影。

眉中。

勾勒眉尾線條（稍微拉長）

Eyebrow Powder
And Eyebrow Pencils

前面示範用的眉粉，是以前的開架品牌ff，現在沒了
…但我覺得很多開架彩妝都有相似的顏色喔！（親愛的，
妳們可先去試用看看ζ😊）

中間的眉刷，哈哈哈！…這都是我每次去專櫃買彩妝，跟他們A一
點來ㄅ！…☠（專櫃上給客人試用的拋棄式的眉刷啦~）
好用又方便!!（有省下買眉刷的錢世😁）

省錢的是可以
換蕊心喔~

CHIC CHOC
眉筆
色號3 / NT$500

用手指擦護唇膏，
感覺比較薄透、自
然。

最後1課

水潤唇色！
Glossy Lips

作弊妝的最高境界：…連口紅都
沒擦ㄛ😄!!

❤ 我都用手指沾護唇膏，這樣必
較自南！也更有水潤感ㄛ~

我喜歡用接近唇色
的淡粉紅色，用手
指去沾有顏色的護
唇膏。

Lips Products

這些都是我愛用的，有護唇膏和會隨著妳體溫而變色的唇蜜，不用怕沒擦口紅會氣色不好…

Smashbox
O！驚艷變色唇彩
NT$600

MAYBELLINE
潤色護唇膏
色號dolly lychee /
NT$299

色號 02
NT$300左右吧？

ETUDE HOUSE
魔法新E護唇膏

Benefit
粉紅菲菲唇頰露
NT$650

>>哈哈!!教學完畢！～

各位小愛美神們，請問妳們作弊作的如何啊?!…有沒有給她很自南ㄋ？ 作弊妝畫好，就可以準備出門囉!! 我沒化妝！ 我沒化妝！…噓！別告訴別人我作弊喔!!

親愛的讀者們，妳們也趕快來試試看作弊的效果吧…

咦…… 這樣會不會以後出去都看到一堆人說：「我今天沒化妝喔！… 」好啦～這也算是學到訣竅啦！

愛妳們喔～…啾一個大大的!!

這是我睡覺的照片，連作弊妝也沒化，百分百的素顏唷!!

失心瘋！到爆！

ch.21
我是
購物狂！
跟著愛美神去掃貨
絕對是買到賺到！

I am THE Shopping Queen !

kitson

"很多網友看了我的部落格會留言說：

ㄟ…原來吳辰萱
那麼搞笑ㄚ？！…

famous celebrity

nobody

咳咳…

都怪之前的"貴婦名媛"路線裝得太像了！😁…
沒辦法，工作就是要專業嘛！…

但其實我私底下可是"平民"得很ㄋ！不要看
我每次出現好像都穿得很時尚、很貴的樣子，但
我可是非常"樸實"的乙！…

從來不買名牌衣，平日
身上一件衣服，頂多幾百
塊而已！那些看起來很貴
的通告服，也不超過2000
元ㄌ！（除了可以用一輩
子的包包和搭配用的披
巾、皮外套我會買破萬以
外…）

因為衣服的流行性高、替換速度也快，買太貴
心裡可是會滴血的…😣

159

>>所以，如果妳們跟我一樣喜歡打扮美美的、追求流行、
又想買到便宜貨的話，那跟著我去挑衣服絕對是賺到啦！

在台灣，大家都知道我愛逛五分埔，
現在我發覺去香港觀光旅遊兼掃貨，更划算耶！

連那種很小的巷子我都熟門熟路。

五分埔我熟到可以當『五分埔觀光團』的導遊了，因為只要沒事，身
邊的親朋好友們都會要我帶團去。這裡的各店家我不但熟門熟路外，
還可以因為我的臉拿到好康折扣唷！

（感恩啦！各位店家老闆給我面子！）

我可以抽成嗎？哈！

>>為了造福大家，這次我就特地抽空飛去香港和深圳，
自己花錢跑去拍我的「私房血拼好所在」！（真的是不惜製作成本！☺）
大家有沒有很感動丫？（邀功 ☺）

香港…是我買東西、吃東西、買東西、吃東西的好地方。

離台灣又近、又有台灣沒有的H&M、ZARA（台灣之後才會有它們
的網站），衣服平價又流行，相信很多姐妹們跟我一樣愛死它們了！

除了會去這兩家店掃貨外，我來香港一定會去九龍尖沙咀的「加連威
老道」跟「加拿分道」。這兩條是交叉的，這區也是香港年輕人愛逛的
地方，有點像台北的東區。

你看！加連威老道

>>在「加連威老道」上呢，
有我最愛的平價服飾店：
MAPLE、IN FASHION、BASIC，
這3家店，就像是有店面的路邊攤，
通通五分埔的價格喔！

而且在香港還是連鎖店乁！
（有掛保證啦！😁）

MAPLE這三家店是我每次去
香港必逛的超平價店，平均
一件衣服不超過100元港幣。

店裡的衣服大多copy日本雜誌最新流行款，
像是ViVi模特兒穿的類似款…等等。

流行性高，可以沾沾甜頭囉！平均一件在100塊港幣以下，可以毫不
心疼的多件多款敗下去！😄汰換率高、可以嚐新，但料子一般般，反正
穿起來是沒什麼太大的差別啦！

>>洗爛也不會覺得可惜…因為很便宜，
也就不用太care質料，ok就好了…
就像你會嫌路邊攤質料不好嗎？…
不要說老闆想打你，我也想打你了…👀

我全身上下的飾品跟衣服都是在香港買的便宜貨，
全身上下加起來不超過台幣四千元。

不過，剛進去店裡要有點耐性，
因為一開始會忍不住嫌棄一大堆衣服擠的滿滿的
（…先別罵我亂介紹ㄟ~°ʊ°），

但只要認真找就可以挑到不錯又便宜的東西！…就像尋寶一樣！
慢慢挑、如果挑貨的眼光也不錯的話，
就不怕挖不到寶了ㄝ～

而且買超過一定金額，還可以變成VIP，
有9折優惠喔！

Treasure Hunting

MAPLE 也有賣飾品喔！

>>至於挑貨的眼光…ㄟ…那就請各位小愛美神們，多K一些時下流行雜誌，培養一下sense囉！😎

unique taste of choosing commodity.

而「加拿分道」上呢，則是有很多韓貨店，這間de Version也是我愛逛的店！（韓貨店）

質感稍好，較多洋裝的選擇，適合我上通告的時候穿！但價格貴一點，大概300～600港幣，不過VIP可以打8折，店裡還有包包、鞋子、飾品等配件，可以一次殺紅眼！…

Latest Fashionable Style

>>連我香港的貴婦朋友都會問是什麼大品牌啊？
在哪買的？當我告訴他們是在「加拿分道」買的，
他們竟然反問我「那是在哪裡呀？」
（心中不禁OS：蛤…果然是貴婦，
應該只逛shopingmall，不逛平價區吧？👀）

來到香港，建議大家可以坐火車去深圳！（很近又很方便…）

這裡是愛買人和批貨的天堂!!…

深圳 shenzhen

>>蛤？深圳？！不要懷疑！
因為大陸是許多服裝的代工廠，深圳是重鎮之一。

所以有很多衣服、鞋子、飾品其實是從這邊「MADE IN CHINA」才去外地賣的，價錢當然這裡更便宜，但最最最討厭的是—要浪費很多時間在討價還價！好像在吵架！有夠牛！

那裡有很多整棟的購物中心，但裡面賣的不是高級名牌，而是超大型的西門町萬年大樓和頂好名店城，讓妳敗到手軟…

路邊也都是飾品店，整間店裡看到的通通9.9塊人民幣起跳！東西跟你在台北路邊攤看到的差不多，但…價錢卻是

殺很大！… 😖

這一堆全都是便宜貨！妳一定想不到，連我最喜歡的Kitson的包包都只要2千多！比在日本買便宜非常多！

我的小熊家族！

>>妳看，bling bling的水鑽
耳環和小熊吊飾，是不是很可
愛ㄚ?…
（送禮不心疼又有面子！😊）

到這裡才知道shopping的快感！…
愛美神的新視野，真的是徹底被打開了！👀

好了好了～不囉嗦～通通打包！…
一大袋飾品還不超過1000元台幣耶！😆 …

沒錢也可以來這裡當大戶啦！👍

can be a wealthy
person without money.

167

我是購物狂 花絮

Behind the scenes, I'm THE Shopping QUEEN!

去香港我都是搭地鐵趴趴走。

去香港一定要先買一張八達通卡，
就像台灣的悠遊卡一樣方便。

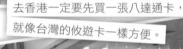

in fashion

in fashion

坐地鐵到尖沙咀站，
找加連威老道的出口。

basic

超便宜飾品，2元1件。

全場9.9元1件。

這是位於旺角的布鞋街，
一整個區塊都在賣布鞋。

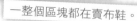

裙子1件69元港幣。

1隻熊9元人民幣

（現在才知道我被賺了多少錢！）

鞋子1雙70元人民幣，
這是還沒殺價的價格喔！

169

去香港一定要吃的發記甜品。

深圳路邊賣的串燒，
又便宜又好吃，
重點是我吃完沒拉肚子。

深圳的美食街

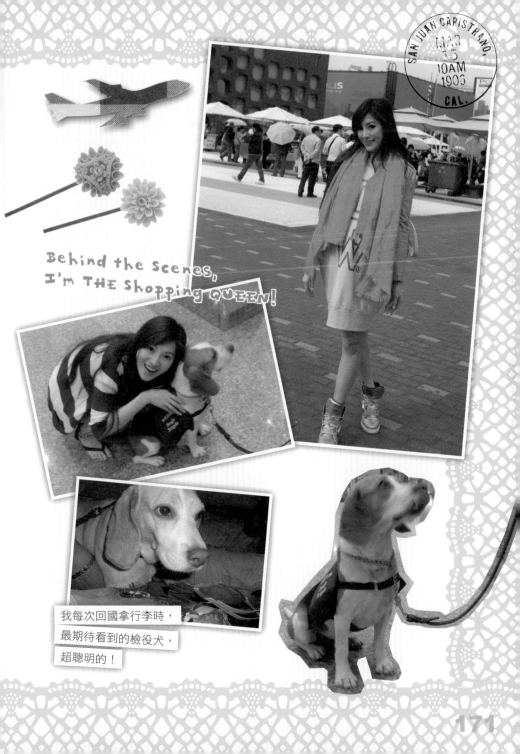

Behind the scenes,
I'm THE shopping QUEEN!

我每次回國拿行李時，
最期待看到的檢役犬，
超聰明的！

171

大家來猜猜看我身上這件衣服要多少錢？

登登～！其實它只要四百多元港幣唷！

這2雙看起來很貴的寶石鞋，

也只要四百多元港幣而已。

厲害了吧我！

這是我最常揹的Kitson的包包。

我超喜歡這個包包，

又大又很能裝東西！

五分埔

我最愛逛的鞋店，
樣式多價錢便宜，讓我花錢快狠準！

超可愛帽子，第一眼就愛上它，
買了！才300而已！

〔多到爆的 ♥ Bring Bring 小飾品！〕

多到爆的小飾品！
　　這還只是我5分之1的蒐藏量而已！

壯觀吧？

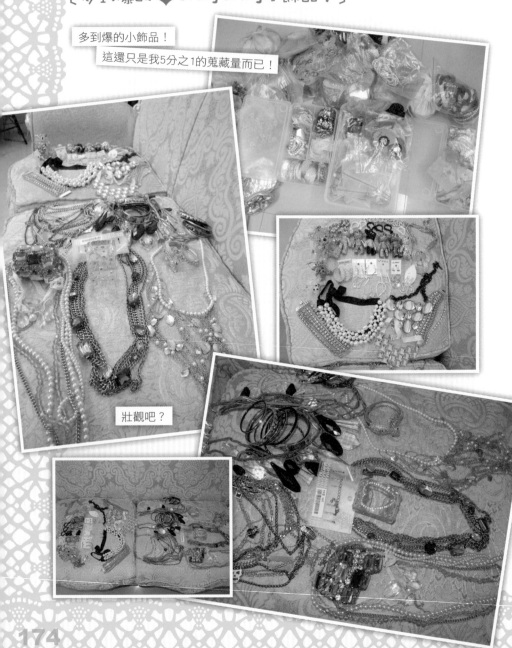

真的都很便宜！

全世界找不到第2條一模一樣的項鍊！
它是我在泰國訂製的，
所以絕不會跟別人 "撞鍊" 喔～

妳們知道這是什麼嗎？

猜猜看～

猜到了嗎？...

我叫它 "水鑽肚兜" ！

全部都是水鑽縫製，很美、很閃亮吧！

也是泰國買的…

我的小飾品收納方式：

每一個都先用夾鍊袋裝好

這樣是不是一目了然、

又好找多了？

→再整齊的放進半透明收納盒中！

東區最有名的牛仔褲！

許多喜歡跑夜店的女生都知道，東區頂好名店城3樓的VJ，他們有一款牛仔褲很出名，10個女生裡面8個都有一條！這款牛仔褲有分大喇叭、中喇叭、和小喇叭，一條大約2千多。穿起來超顯瘦、超修長的！

我穿的是小喇叭。
穿的時候裡面搭配一雙高跟鞋，
馬上就搖身一變成長腿辣妹了！
效果很好。

這個是我很愛的不玲不玲墨鏡
而且價錢很便宜唷！
只要兩千多元，不用上萬。

CHROME HEARTS 眼鏡框

這應該是我買過最貴的眼鏡框。

沒辦法，誰叫它是CHORME HEARTS呢!!

看正面，你會覺得它是個平凡的眼鏡框，

但重點是這個啦！→看它的側面

識貨的人一看就知道了!!

雪靴

我這件洋裝才一千多

是不是看起來超貴的？

這是新買的冬天雪靴，

一雙才一千多喔！

百搭的 LV 披肩！

我很愛用的披肩，而且實用性超高的！
我的包包裡隨時都有一條披肩，
就算夏天進冷氣房也可以使用。

我從5、6年前，一條還是1萬1、1萬2的時候，
買到現在一條都1萬6、7了！

但是它的實用性真的很高，
所以我覺得很值得投資，跟包包一樣，
實用性超高的。

我是 "粉紅3C狂"！

這些都是我的3C產品，而且都是粉紅色的ㄛ！
我所有的3C產品幾乎都是粉紅色系的！
而且，我是個3C產品更換頻率超高的人！…
誰叫粉紅色都在呼喚我！誰叫廠商一直出新的！

在泰國買的粉紅Channel包包！
（連這個也要粉紅系～）

連電視台都來採訪我這個
「粉紅3C狂」！哈哈哈

就是要粉紅！

Please Call Me "Pink Pope"！

藥妝店小物！

超好用衛生棉！

超好用衛生棉條！

"買藥團" 必買！

猜猜它是什麼東西？
是綁頭髮的髮圈嗎？
其實是去靜電手環！…

防止靜脈屈張的襪子，
台灣現在有賣。

眾多日本藝人推薦的睫毛膏！

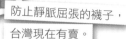

去腳皮工具。

蒸氣眼罩。

新奇物！

現在日本藥妝賣的很好，我稱它「懶人用」，它是卸妝、洗臉、化妝水、精華液、保濕、乳液…什麼有的沒有的都合在一瓶，號稱六合一。

因為好奇買來用，心裡想：「怎麼可能一瓶搞定？」但就是圖方便，我就多卸幾次囉，的確可以省了我不少時間，用起來還算保濕。

哈!所以我才説這是懶人用！（最適合喝醉酒的人，在醉倒前那一分鐘用，總比沒用的好。）

西藥房有寶...

這是西藥房，很多醫美品牌的化妝品這裡也有。

大部分人不知道的是：化妝品不只藥妝店買得到，

有些西藥房賣的醫美品牌比在藥妝店還要多！

每個醫美品牌分佈的藥房會不一樣，

所以妳要花點功夫找一下，建議去找大一點的藥房。

愛美神的心得是：很多藥房的醫美品牌比藥妝店還齊
全、還多て！有需要可以去藥房"挖寶"看看…

半夜睡不著，來去逛Watsons！

愛怎麼逛就怎麼逛！

半夜睡不著又沒地方去的話，

24小時營業的藥妝店是不錯的選擇！

這是位於台北西門町的
「青龍舞蹈戲劇服裝租借公司」！

偶而參加一些需要特殊裝扮的變裝派對，
我就會到這裡來找靈感，
裡面有琳瑯滿目、各式各樣的衣服。

妳們看！…還有蝙蝠俠、
骷髏頭的造型服，好玩吧！

我三不五時就會去逛「瘋雜誌」日雜店。

每次看到日雜店裡高掛在天花板的那些美美的袋子，
就會很衝動的想要買下來，
顧不得家裡已經一大堆這種有的沒有的袋子贈品了。

184

ch.22
日本購物誌

Shopping Trip in Japan!

Claudia's

強力大推！去日本時，妳一定要去逛這家24小時的藥粧店『激安の殿堂』！

>>一整棟大樓裡，什麼鬼東西都有賣！…比如說家電、藥粧、名牌包等，琳瑯滿目、應有盡有！

東京的拉法葉百貨門口

東京的
109百貨

SHIBUYA
109

REPUBLIQUE
FRANÇAISE

★004

POSTES

ALBUM

CRYX

Pinky Girls

CECIL McBEE

188

這是我在東京109
百貨買的軍外套，
約3,000多台幣。

這兩家店是我去日本必去
的！衣服的麻辣指數分別
為：Forever 21（大辣）和
H&M（中辣）。

「Forever 21」的專賣
店，這個品牌目前台灣跟
香港都沒有門市，最近的
點在日本。

189

這些是「Forever 21」店裡賣的飾品。

Kitson的包包，名媛派瑞斯希爾頓也愛用唷。一個包包平均約3～4千元，在日本買會比較貴一些。當初我在日本花了約6千多元買一個包包，但是後來發現與其他地方價位差了1千多。（氣！）

日本的 Kitson 門市

這是「45 RPM」的總店。

「心湄姐！妳怎麼了？？？」她居然在跟一隻大兔子講悄悄話耶！「心湄姐，妳最近壓力很大嗎？」

這是日本Chrome Hearts的總店。

要謝謝心湄姐，我們才有幸進去！還可以坐在那裡！🐽不然，我哪有辦法進得去呀！

這是日本一家非常有名而且昂貴的餐廳。

料理台前方陳列的都是新鮮的食材，顧客可以直接挑選喜歡的食材，然後請師傅現場烹煮，料理完後師傅會用大木板將菜遞送到顧客面前。

盤子裡的是起士，很好吃唷！

這是心湄姐的生日蛋糕耶，長得好像心湄姐喔！

哇！這麼大的生魚片船。

這是我們去泡湯的和服。

這是我在日本路邊攤吃的拉麵套餐，整套餐點好豐盛！有拉麵、餃子和飯，價位還不到一千元日元哩。

墨魚麵。

難得一見的螃蟹麵。

看心湄姐示範正港「吃墨魚麵應有的態度」！…就是要把一張嘴吃的黑嘛嘛的，這樣才是對的！😊

我正大口吃著烏漆嘛黑的墨魚麵。後面來搶鏡頭的這傢伙是張本瑜。

這條長長的排隊隊伍是在排什麼？他們是在排日本原宿裡非常有名的可麗餅老店乁！

這裡有五、六家這樣的可麗餅老店，但我最喜歡吃的還是這一家的。

看我大口吃掉可麗餅！好好吃喔！

強力推薦

冬天去日本時，請一定要去買草莓跟葡萄，超好吃的啦！那裡的葡萄有棗子的一半大！而且在日本買的價錢，約為在台灣百貨的一半而已…真的是物超所值！妳們一定要去買！

看我吃草莓就好！不給妳們看我身後滿床的血拼戰利品啊～（羞～）

這是我們「心湄家族」一團人去日本的行李，妳看看陣容有多浩大！

番外篇：出國必備
美妝保養行李收納！
Claudia's Storage Secret and
Must with Them Abroad!

每次出國必備的行李!!（像不像
哆啦A夢的口袋?!）
什麼都可以不帶，這個非帶不可。
裡面有所有我會用到的保養品及
彩妝品，可說是一應俱全啊！

>>我會盡可能找試用品或贈品（迷你版），免得行李太多。

　　從「我的化妝台抽屜」（後面篇章會介紹）和「出國必備行李」…
這2篇，就可以看得出來我的個性有多龜毛了！😷一整個追求完美…各
式物品都要擺放得很整齊。

好！…可以提著放心出國去
了！👻是不是很方便的收
納包呢？…現在妳們知道為
什麼我很愛拿週年慶送的小
旅行組或體驗組了吧…😊

愛美有理！
保養無罪！

ch.23
Let Claudia Take You to Shop on Anniversary.

週年慶，就是要掃貨啦！

週年慶必做功課──看DM！看週年慶DM、做功課～我都是趁敷臉、泡澡、上廁所、睡前時來研究。

　　我想，男人們可能會覺得：『妳們這些女人簡直是瘋了！😀』檯面上的回答可以是：『唉唷～週年慶一年才一次嘛！...😊』

　　但心裡真正的OS卻是：『唉～還不是為了你們！...阿不然咧？～不保養，等我多了幾條皺紋、變老變醜了...你們會不會嫌棄我是黃臉婆?!😑』所以，女人一定要多愛自己～保養無罪嘛!!!😇
　　嘿嘿～以上這些話，都是為了讓自己在週年慶期間可以買得心安理得、買得理直氣壯！

　　看照片就知道，我為什麼要這樣說啦～

真的是一拖拉庫！～沒騙妳們吧！

SOGO週年慶，當然是要拿出SOGO的禮券來買才划算ㄛ！

看到沒，活像大戶土財主一樣！…禮券要這樣啪啪啪啪啪～！

買了之後馬上來看看這次贈品送什麼？

我不是在跟你打招呼喔，我是說：「這等於五折買到喔…」

買到連櫃姐姐們也要合照，真是榮幸～

199

如果要後開發票者，記得付了錢要拿個收據，找一天人少一點再來一起開發票，可衝當日滿額贈禮喔。

東看看，西選選，逛街好爽～

莎莎週年慶！我平常也蠻愛逛莎莎，因為這裡有幾個我的愛牌，像是更新面膜…

我作勢要咬的那盒，是送我的喔！是買下面送上面…有賺到！

週年慶才第一天，2個小時下來我就已經敗一堆東西了！…

不管怎麼樣，還是得要掏錢啦…

ch.24 愛美神の
私密檔案!

我的香閨、換衣間、
保養櫃、鞋櫃、囤貨倉庫
、頭腦能量補充站…

The Leak Of
Claudia's Secret Base.

我的臥房
My Private Bedroom.

保養
品櫃

臥房一角…

看看我家的保養
品櫃，我應該可以開
藥妝店了！

202

203

更衣室

我的更衣室，吊掛長洋裝的地方。

還有梯子耶！

I got ladder here !

我的
"工作室"...

我在家裡打電腦、寫稿、上網的地方…

電腦桌是購物台買的萬能方便桌乙！

萬能方便桌
TABLE-MATE II

好女生要更愛自己！

這是我MC來時都會帶在身上的濕紙巾，是擦女生私密處的濕紙巾。女生上完廁所後，用一般衛生紙清潔乾淨後，可以再用這個專用濕紙巾，除了保持清潔外，還可以幫妳去除MC來時私密處的特殊氣味。

很多人會為了保持口氣清新而隨身攜帶口香糖，但我現在發現這個好物「SWEET BREATH 滴樂潔口腔芳香滴劑」，只要滴一兩滴在嘴巴，就可以讓口腔芬芳，而且不會因為嚼食口香糖而使兩頰產生咀嚼肌。

我的
比基尼
處女照 ✗

這是我第一次穿著比基尼拍照，小露一下「右半球」給妳們看！（無奈！被出版社的惡勢力脅迫～～）

這全部都是在我家樓下的游泳池拍的。

我「假裝」在做日光浴…（我可從來都不做日光浴的，躺一下就馬上起來噴防曬。）

我可沒有為了效果而噴點水在身上，是真的有下水過喔！

我是蜈蚣精：
我家的書櫃被我當鞋櫃！
I am a centipede : Book shelf was
used as shoes cabinet !

哇喔～好多鞋喔～
我是蜈蚣精！

雖然我的鞋子數目很嚇人
但是我每一雙鞋盒外面都有貼
照片，所以不管是尋找或
是收納都很清楚！

恩～ㄟ～喔～
到底要選哪一雙呢？

還是要讚美我自己一下
，雖然我鞋子很多，不過我
有「整齊癖」，都收納的
整整齊齊的！

209

ch.25
幕後片花♥NG鏡頭

Behind The Scenes
& Outtakes NG !

國家圖書館預行編目資料

無敵愛美神. 3, 美人道 / 吳玟萱作. - 初版. -
臺北縣板橋市 ： 趨勢文化出版, 2011.01
　面 ；　　公分. - (Princess ； 3)

ISBN 978-986-85711-1-2 (平裝)

1.皮膚美容學　2.化粧品
425.3　　　　　　　　　　　　　99024640

Princess 03　　無敵愛美神3美人道！

作　　　者 — 吳玟萱
發 行 人 — 馮淑婉
出版總監 — selena
助理編輯 — 黃健濤
外編配合執行 — Nancy、小倩、小龜

出版發行 — 趨勢文化出版有限公司
　　　　　　板橋市漢生東路272之2號28樓
　　　　　　電話◎2962-1010
　　　　　　傳真◎2962-1009

文字協力 — Nancy・小倩・小龜・阿龐
封面攝影 — 黃天仁攝影工作室
內頁攝影 — 吳玟萱・Mike
服裝造型 — 林國基・吳玟萱
封面設計 — 小魚
內頁設計 — 培玲
校　　　對 — 吳玟萱・Selena・Nancy・阿龐

初版一刷日期 — 2011年1月20日
法律顧問 — 永然聯合法律事務所
有著作權　翻印必究
如有破損或裝禎錯誤，請寄回本社更換
讀者服務電話◎2962-1010#77
ISBN◎978-986-85711-1-2
Printed in Taiwan
本書訂價◎新台幣 320元

趨勢文化
出・版・有・限・公・司

BIOPEUTIC +
葆 療 美

超 強 美 白
Super Whitening

富勒寧淨白化妝水
全方位化妝水，超快滲透
呈現看得到、感覺得到
〝亮白飽滿〞效果

VC25+富勒寧超白精華液
淨 · 白 · 透 · 亮
快效超白精華液
高效淨白、淡化黑斑
撫平細紋、揮別暗沉

甘麴雪亮霜10
美白淡斑
透亮膚色
消除暗沉

富勒寧淨白面膜
美白鎖水面膜
一般敷臉、曬後舒緩
加強鎖水、保濕

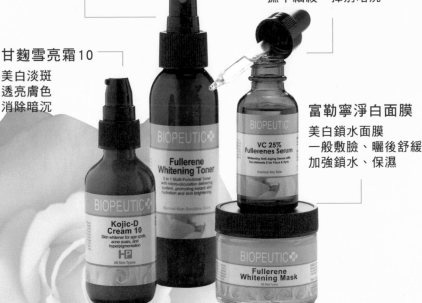

官網:www.biopeutic.com.tw

> 美麗其實很簡單
> 只要忠於你自己

Bobbi Brown

BOBBI BROWN